29,00

grammaire pratique des temps verbaux

IMPARFAIT ET COMPAGNIE

JACQUES MONTREDON

Activités et formulations expérimentées au Centre de Linguistique Appliquée de Besançon et à l'Université du Queensland (Australie)

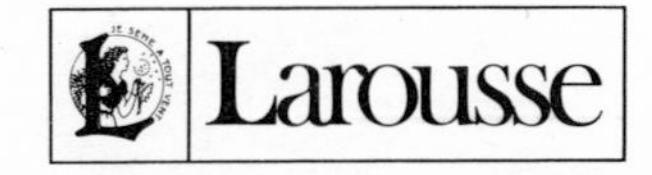

17 RUE DU MONTPARNASSE - 75298 PARIS CEDEX 06

Mes remerciements vont à Chantal Vidil pour toute l'attention et tout le soin qu'elle a portés à la fabrication de cet ouvrage.

Librairie Larousse (Canada) limitée, propriétaire pour le Canada des droits d'auteur et des marques de commerce Larousse. — Distributeur exclusif au Canada : les Éditions Françaises Inc., licencié quant aux droits d'auteur et usager inscrit des marques pour le Canada.

ISBN 2-03-800308-4

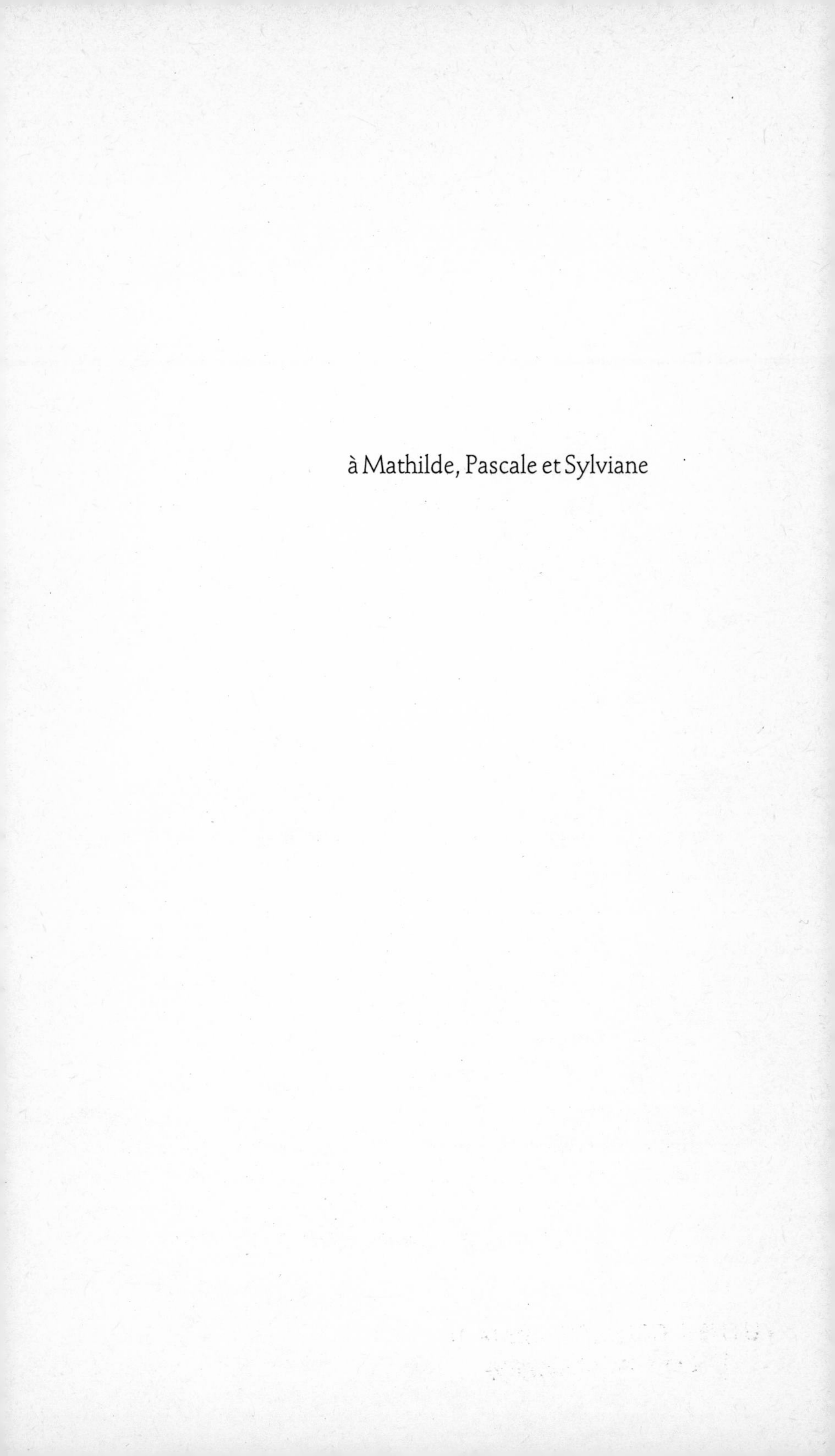

à Mathilde, Pascale et Sylviane

Table des matières

Pages

* que nous appelons par commodité « passé composé I ».
** que nous appelons par commodité « passé composé II ».

Avant-propos

Cet ouvrage est destiné aux étudiants étrangers non-débutants, ainsi qu'à leurs enseignants. Un public francophone en tirera également profit.

Les activités et formulations proposées ici visent à clarifier les intuitions du lecteur et à assurer sa compréhension du système temporel de la langue française. Ce n'est pas l'apprentissage des formes verbales qui est recherché mais la maîtrise des temps, dans des propositions isolées, ou en relation les uns avec les autres.

Dans cette grammaire sont abordés respectivement le présent, le passé composé (une même forme mais deux valeurs, d'où la distinction passé composé I et passé composé II, comme on le verra), venir de, être en train de, aller + infinitif, le futur et le futur antérieur, le passé simple, l'imparfait, le plus-que-parfait, les conditionnels. Une approche à la fois pratique et rationnelle permettra de percevoir aussi bien la structure d'ensemble de ces temps que la valeur propre à chacun d'eux.

Chacun ici peut travailler à son rythme, seul ou au sein d'un groupe, poursuivre, s'arrêter ou revenir sur un point délicat. Les activités variées, les multiples exercices proposés (rationalisations, analogies, énigmes) à travers différents registres de langue, en même temps qu'ils sollicitent la parole, la lecture et l'écriture, conduisent à une compréhension claire du système temporel. Les intuitions du début s'affinent.

Éveiller chez l'étudiant étranger une véritable curiosité linguistique pour l'organisation des temps verbaux de la langue française afin de la maîtriser, permettre à l'étudiant francophone une meilleure compréhension d'un système temporel et l'aider ainsi à mieux intégrer ceux des autres langues, voilà toute l'ambition de ce livre.

unité 1

activité A

Lisez ce poème :

Elle habite un pays
où les gens sont polis
qui même dans le brouillard
se saluent sans se voir

Regardez la disposition spatiale que nous proposons pour ce poème :

Elle habite un pays
où les gens sont polis
qui même dans le brouillard
se saluent sans se voir

Prenez maintenant connaissance de cet autre poème :

La fourmi

Fourmi fourmi
mini minuscule
semis de virgules
demie de demie
remue ton mil
ton brin ta pilule
menue miette nulle
fourmi fourmi
minime ténue
noire goutte acide
de prudente antenne
le soir te dilue
dans la terre avide
les herbes s'éteignent.

(*) *Les Animaux de tout le monde,* Jacques ROUBAUD, éditions Ramsay.

À votre tour, disposez spatialement, à votre idée, ce poème.

C'est fait ?
Vous travaillez **en ce moment sur l'unité 1 dont** ***vous avez accompli*** **la première activité.**

activité B

Regardez maintenant les schémas A et B ci-dessous (M représente le moment où on parle, écrit, lit, etc.).

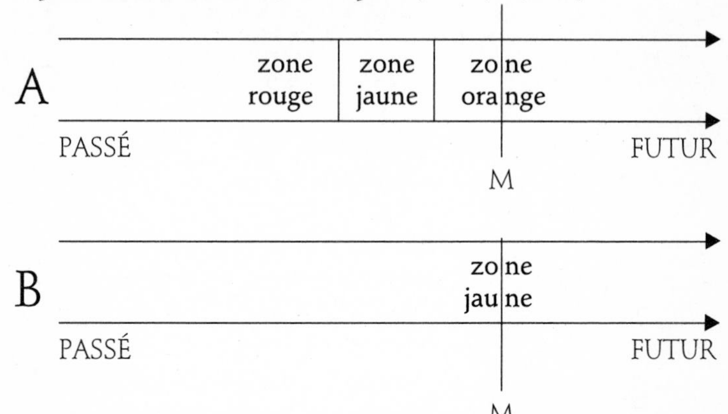

► Le schéma A représente « **Vous avez accompli la première activité** » pour les raisons suivantes : « Vous avez accompli la première activité » signifie que vous êtes dans l'état de quelqu'un qui a accompli cette activité. C'est le résultat d'une transformation (d'où les zones rouge, jaune puis orange). Le schéma se lit :

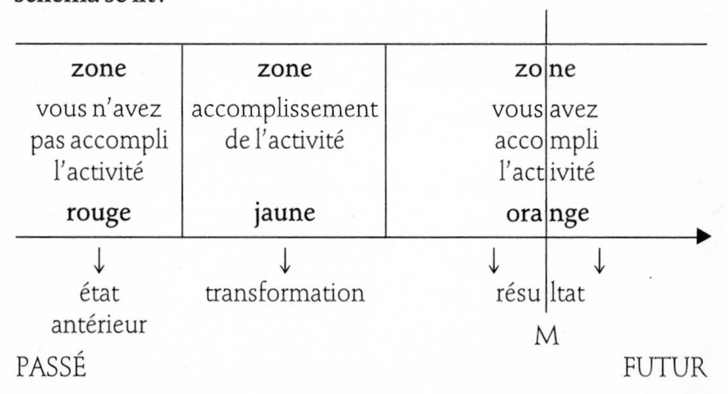

► Le schéma B représente « **Vous travaillez en ce moment sur l'unité 1** » pour les raisons suivantes : vous n'êtes pas dans l'état de quelqu'un qui a fini l'unité 1, la transformation est en cours.

activité C

1. Lisez maintenant la transcription d'un dialogue et celle d'une conversation téléphonique.

Dialogue
- T'as pas l'air bien...
- J'ai trop mangé à midi : j'ai déjeuné au Suisse (*).

Conversation téléphonique
- Allô ! Je voudrais parler à Monsieur Blay...
- Écoutez, il déjeune.
- Excusez-moi.

À quel schéma (A ou B) rattachez-vous « J'ai trop mangé à midi » (dialogue) et « Il déjeune » (conversation téléphonique) ?

(*) Restaurant de la ville réputé pour sa cuisine copieuse.

2. Lisez cet extrait du film de Jacques Doillon, *Les doigts dans la tête* :

Chambre de Chris - intérieur noir
Plan général : légère plongée sur Léon, éveillé, une revue à la main et, à sa gauche, un peu en arrière-plan, Liv, qui s'étire. Ils sont encore tous deux au lit. Léon la regarde. On entend, off, des bruits d'eau.

Rosette (off). - **T'as bien dormi ?**

Liv (elle continue de s'étirer, satisfaite). - Mmm...
Très bien !

Léon (sérieux). - On dort toujours bien avec moi !

Liv acquiesce en riant, et arrange l'oreiller sous sa tête.

Chris (off). - Je te fais chauffer ton lait ?

Liv (se soulevant légèrement sur les coudes). - Mmm...
Je veux bien, oui !

Chris (off). - Bon. Je vais te porter le petit déjeuner au lit, mais c'est bien parce que c'est dimanche.

Liv (elle se tourne vers Léon). - Et toi ? Tu prends pas le petit déjeuner ?

Léon - **J'ai déjà déjeuné.**

Avant-scène Cinéma. Avril 75, numéro 157.

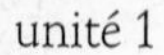

À quel schéma (A ou B) rattachez-vous « T'as bien dormi », et « j'ai déjà déjeuné » ?

....

....

► Nous appelons *« passé composé I »* le temps qui correspond au schéma A (« Vous avez accompli la première activité... », « J'ai trop mangé à midi », « J'ai déjà déjeuné »).

Vous pouvez maintenant comprendre que :

a) Le *passé composé I* est utilisé pour exprimer (avec trace, physique ou psychique, dans le présent : « J'ai trop mangé à midi » = « J'ai l'estomac lourd ») ce qui est déjà réalisé au moment où la personne parle, écrit, lit, etc.

b) Le *présent* (« Vous travaillez en ce moment sur l'unité 1 », « Il déjeune ») est utilisé pour exprimer ce qui est en cours de réalisation au moment où la personne parle, écrit, lit, etc.

Les linguistes appellent le *passé composé I, présent accompli* parce que ce temps est utilisé pour exprimer, avec trace dans le présent, ce qui est déjà fait, accompli au moment où la personne parle.

Vous avez fini l'unité 1.

unité 2

***Vous venez de faire* l'unité 1 ?** .... oui non

Vous l'avez faite
la semaine dernière ? .... oui non

***Vous l'avez faite* hier ?** .... oui non

Vous l'avez faite
il y a deux jours ? .... oui non

► Si vous avez répondu « oui » à la première question, cela veut dire que vous êtes passé directement de l'unité 1 à l'unité 2.

Vous pouvez maintenant comprendre que :
« *Venir de* » implique une absence de distance temporelle par rapport au moment où la personne parle, écrit ou lit (ça touche ce moment).

---

activité A

Lisez :

1 - Je viens de le voir récemment.

2 - Je viens juste de lui téléphoner.

3 - Trop tard : il vient de sortir.

4 - Je viens d'arriver il y a dix minutes.

D'après votre intuition linguistique, quels sont les énoncés que vous considérez comme grammaticalement justes ?

....

....

Pourriez-vous expliquer pourquoi ?

....

....

....

....

Et ceux que vous considérez comme non grammaticalement justes ?

....

Et pourquoi ?

....

....

....

Vous pouvez maintenant comprendre que :

La présence d'indicateurs temporels tels que **récemment, il y a, tout à l'heure** est incompatible avec *venir de*.

---

activité B

Lisez ces transcriptions de dialogues :

1.

- Si on demandait à François et Judith de nous aider ?
- Tu sais, ils viennent de déménager...

2.

- On ne voit plus Marie-Hélène...
- Elle vient de perdre son père...
- Son père !
- Oui ; c'est arrivé la semaine dernière : un accident stupide...

3.

- Ange et Catherine divorcent.
- Mais ils viennent de se marier !
- Eh oui ! Ça fait à peine trois mois...

François et Judith ont peut-être déménagé il y a quelques jours. Marie-Hélène a perdu son père la semaine dernière. Ange et Catherine se sont mariés il y a trois mois.

Comment expliquez-vous l'usage correct de « venir de » par les locuteurs dans ces dialogues ?

....

....

....

....

....

....

Finalement vous pouvez comprendre que :

a) par « *venir de* » le locuteur peut exprimer la **contiguïté temporelle** stricte :

Vous venez de lire l'affirmation A, où « *venir de* » implique une quasi-absence de distance temporelle par rapport au moment où il parle.

et

b) par « *venir de* » le locuteur peut également exprimer la **contiguïté psychologique,** plus large que la contiguïté temporelle stricte :

Ils viennent de déménager,

Elle vient de perdre son père,

Mais ils viennent de se marier.

Fin de l'unité 2.

***Vous venez de finir* l'unité 2.**

unité 3

***Vous avez* maintenant *fait* les unités 1 et 2 et *vous êtes en train de commencer* l'unité 3.**

activité A

A - «Vous savez ce que je pense à son sujet?»

► L'intonation de cet énoncé indique une demande de confirmation.

B - «Vous savez ce que je suis en train de penser à son sujet?»

► L'intonation de cet énoncé indique une question simple.

Parmi les répliques suivantes, indiquez celles qui vous semblent appropriées soit à l'énoncé *A*, soit à l'énoncé *B*:

1 - Non, dites-moi. Énoncé ....

2 - Ce n'est un secret pour personne! Énoncé ....

3 - Je serais curieux de le savoir. Énoncé ....

4 - Comment pourrions-nous l'ignorer? Vous n'arrêtez pas de le dénigrer! Énoncé ....

activité B

Voici deux transcriptions d'une question d'un travailleur social, Daniel Druesne. Celui-ci, dans une interview, parle des nouveaux pauvres en France. Jusqu'à maintenant, la pauvreté n'était pas considérée comme une fatalité mais comme la conséquence des injustices sociales; avec la crise, il semble y avoir un changement d'attitude par rapport à ces pauvres qu'on qualifie de «nouveaux».

De ces deux transcriptions:

A - «Les responsables de toute sorte acceptent-ils la pauvreté comme une fatalité?

B - « Les responsables de toute sorte sont-ils en train d'accepter la pauvreté comme une fatalité ? »

Laquelle vous paraît fidèle et correspondre à la situation ?

▶ L'énoncé fidèle est bien sûr « B » puisque ce changement d'attitude est contemporain de la crise économique et est en train de se produire.

Vous pouvez maintenant comprendre que :

Vous êtes en train de faire l'unité 3 signifie que vous avez commencé à faire cette unité il y a un moment et que vous ne l'avez pas encore finie.

---

activité C

Lisez cet extrait d'interview d'un professeur réalisée à Besançon, le 29 mars 1984 :

« Il y a eu un découragement par rapport à l'école et il y avait quelque chose de très dangereux qui se répandait dans les années 81, c'était que l'école ça servait à rien. Qu'est-ce que constataient les parents ? Que... les jeunes, même ceux qui réussissaient à l'école, allaient à l'école, étaient chômeurs, bon, alors à quoi bon ? Alors il y avait ça qui se développait à tel point que nous on devait s'appuyer mettons sur... il y avait des enquêtes quand même faites à l'époque qui montraient que plus le jeune était qualifié, moins longtemps il était chômeur, ça veut dire qu'il trouvait du boulot. Alors moi, ce qui me paraît important, c'est qu'il y a pour l'instant inversion de cette pression. C'est-à-dire que bon maintenant on est en train de revenir à l'idée que l'école ça sert à quelque chose hein... »

(*) Dans *Dossiers de civilisation française,* « l'École », 1984, Marie-Claude FARGEOT-MAUCHE, ronéotypé, Besançon, centre de linguistique appliquée.

L'emploi de « en train de » vous paraît-il tout à fait approprié à la situation ?

oui non je ne sais pas

Fin de l'unité 3.

***Vous venez* peut-être *de faire* l'unité 3, *vous allez* maintenant *commencer* l'unité 4.**

unité 4

PARTIE A

activité A1

Répondez à la question suivante en cochant parmi les réponses possibles à cette question celle qui se rapproche le plus de votre situation personnelle.

Question - Alors, c'est vrai, vous allez vous marier ?

Réponse 1 - Eh oui, je vais me marier.

Réponse 2 - Mais non, je ne vais pas me marier. Qui vous a appris ça ?

Réponse 3 - Je vais me marier ! Moi, me marier ! Jamais de la vie ! Je ne me marierai jamais !

Réponse 4 - Non, non... je me marierai, c'est vrai, mais quand j'aurai fini mes études.

Réponse 5 - Ah ! non, merci ! Un mariage, un divorce, j'ai déjà donné !

Réponse 6 - Ah ! ça, ça m'étonnerait ! Je suis déjà marié(e) !

Lisez les commentaires suivants :

▶ *Réponse 1 :* votre réponse implique que vous avez trouvé un(e) partenaire, que votre décision est prise, que votre mariage est certain.

▶ *Réponse 2 :* vous niez par cette réponse le mariage évoqué par l'interlocuteur.

▶ *Réponse 3 :* l'utilisation du futur dans cette réponse est due au fait que vous rejetez catégoriquement l'idée de mariage.

▶ *Réponse 4 :* vous n'envisagez un mariage qu'à la fin de vos études, qu'après vos études. Il n'est pas pour maintenant.

activité A2

Lisez :

A - Laisse, je vais faire la vaisselle.
B - Laisse, je ferai la vaisselle.

et :

1 - Quand ? Elle va encore rester. Je préfère la faire tout de suite.
2 - Merci, c'est gentil.

À votre avis, des deux répliques (1) et (2), laquelle vous paraît la plus probable à la suite de : « Laisse, je ferai la vaisselle » ?

....

Et pourquoi ?

....

....

....

....

Êtes-vous d'accord avec ce commentaire :

▶ « Je vais faire » implique que le locuteur se met aussitôt à la vaisselle. « Je ferai la vaisselle » est indéterminé temporellement : dans une heure ou demain matin. Il est possible même qu'il ne la fasse pas.

activité A3

Lisez :

1 - Maintenant qu'il a fini ses études, il cherchera un travail.

2 - Si tu continues, ça va chauffer !

3 - Tu le rendras dans un moment, à Maman.

4 - Ce que je ferai pour les vacances ? Je vais voir en juillet.

5 - Au moment où tu recevras ma lettre, je serai déjà à New York, aussi ne m'écris pas ici.

6 - Repose-toi, je vais fumer une cigarette, puis je ferai la vaisselle.

Quels sont, parmi ces énoncés, ceux qui vous paraissent étranges d'après votre intuition des temps futur et aller + infinitif?

....

Seriez-vous d'accord avec ces commentaires:

▶ 1 - Pour la personne dont on parle, la recherche d'un travail commence maintenant. Il n'y a pas de distance temporelle entre la fin de ses études et sa recherche. Le futur est impropre.

▶ 2 - La locutrice, si l'enfant persiste dans son comportement, est prête à passer aux actes.

▶ 3 - «Tu le rendras» est tout à fait justifié, la coupure par rapport au moment où la personne parle est marquée par «dans un moment».

▶ 4 - «Je verrai» est nécessaire. «En juillet» marque une distance par rapport au moment où la personne parle.

▶ 5 - Futurs tout à fait justifiés (voir 3 et 4).

▶ 6 - «Je ferai»: l'utilisation du futur est due au fait que l'action envisagée est distante du moment de la parole et séparée de celui-ci par «je vais fumer une cigarette».

activité A4

Lisez:

A - «Assieds-toi, je vais t'expliquer».

B - «Assieds-toi et je t'expliquerai».

D'après votre intuition linguistique, acceptez-vous ces deux énoncés?

....

Commentaire:

▶ Le futur de (B) est dû à la présence de «et» qui établit une chronologie.

Vous pouvez maintenant comprendre que :

a) *aller + infinitif* permet au locuteur d'exprimer son engagement (je vais me marier), d'où la valeur de certitude de cette forme verbale (il va pleuvoir).

b) l'utilisation du *futur* permet au locuteur d'établir une distance temporelle par rapport au moment où il parle, un décrochement (je ferai la vaisselle), d'où un moindre degré de certitude.

PARTIE B

activité B1

Prenez connaissance des énoncés ci-dessous entendus sur le quai d'une gare. Il s'agit de demandes de confirmation.

- Tu m'envoies un mot, hein ?
- Vous me téléphonez, n'est-ce pas ?
- Tu passes les voir?

Seriez-vous d'accord avec ce commentaire :

▶ Le présent, ici, est utilisé pour exprimer un avenir convenu.

activité B2

Extraits de conversations téléphoniques :

1.

- Allô, Alain ? Qu'est-ce qui se passe ? On t'attend, mon vieux !
- J'arrive, j'arrive ! J'étais juste en train de chercher mes clés...

2.

- Allô, Léo ? C'est moi, Marguerite...
- Oui.
- Dis, tu pourrais pas m'aider à remplir ma feuille d'impôt : y a deux ou trois trucs que je comprends pas...
- Pas maintenant ! Je pars à Besançon, je fais ma valise !

Seriez-vous d'accord avec ce commentaire :

► Dans ces situations, « j'arrive », « je pars » signifient à la fois « je vais arriver - je suis en train d'arriver », « je vais partir - je suis en train de partir ».

PARTIE C

***Vous allez* bientôt *finir* l'unité 4.**

Quand *vous aurez fini* l'unité 4, *vous pourrez passer* à l'unité 5 ou *vous pourrez faire* une pause.

Quand *vous serez arrivée(e)* à la fin de ce livre j'espère que vous maîtriserez les temps du français.

► Le temps utilisé dans « quand vous aurez fini », « quand vous serez arrivé(e) » est communément appelé **futur antérieur**.

Lisez :

1 - Quand vous aurez vendu tout ça, vous reviendrez.

2 - Quand il aura dépensé tout l'héritage de sa tante, il faudra bien qu'il travaille !

3 - Je sortirai quand j'aurai terminé ce livre.

4 - Je reviendrai pour savoir ce qu'elle vous aura dit.

► Prenons 4, qui peut être interprété ainsi : quand je reviendrai, elle vous aura *déjà* dit ce qu'elle avait à vous dire.

Vous pouvez maintenant comprendre que :

Le *futur antérieur* joue, par rapport à un moment de l'avenir, le même rôle que le *passé composé I* par rapport au moment où la personne parle.

Regardez le schéma ci-dessous :

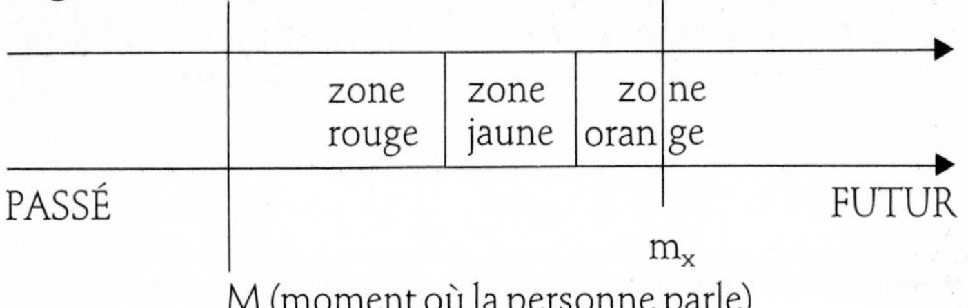

m_x : moment quelconque du futur, ici : « quand vous aurez fini l'unité 4 », ...

m_x représente un moment du futur : *quand* vous aurez fini l'unité 4, vous pourrez passer à l'unité 5. Ce schéma vous rappelle sans doute le schéma A de l'unité 1. Contrairement à ce dernier schéma, la référence ici n'est plus le moment où la personne parle mais le moment envisagé dans le futur : quand... Par l'emploi du *futur antérieur*, le locuteur voit comme faits, comme accomplis, une action, un événement à venir : « quand vous aurez fini l'unité 4 ».

Finalement, seriez-vous d'accord avec ce commentaire :

▶ Il serait plus juste d'appeler le futur antérieur **futur accompli** ou **futur** vu comme **accompli.**

Fin de l'unité 4.

unité 5

PARTIE A

activité A1

Lisez : ce qu'ils ont fait le 21 février 1981.

DUMONT René : samedi, l'ancien candidat écolo en 74 a fait un petit tour au bois de Vincennes sous la neige puis est allé voir « Kagemusha » dans un cinéma des Champs-Élysées. Il a beaucoup aimé. Ce qui lui a donné envie de retourner voir, dimanche, « la Rue sans joie » du même Kurosawa. Mais, avant, dans la matinée, il a sérieusement travaillé avec Marie-France Potin sur son prochain livre « le Mal Développement de l'Amérique latine » et il a lu en diagonale, dans ce but, deux livres sur le Mexique, celui de Gutelman et celui d'A. Meister.

D'EAUBONNE Françoise, écrivain : elle a travaillé samedi sur la carrière de la veuve Mao. Le soir, elle a dîné avec Gilbert Garnon, qui réalise une adaptation de son roman féministe « le Satellite de l'amante ». Dimanche, elle a rencontré une amie dont le compagnon se bat pour lui enlever ses deux enfants et les garder à Longo Maï.

***Maintenant que vous avez lu ces deux textes,* regardez les schémas ci-dessous :**

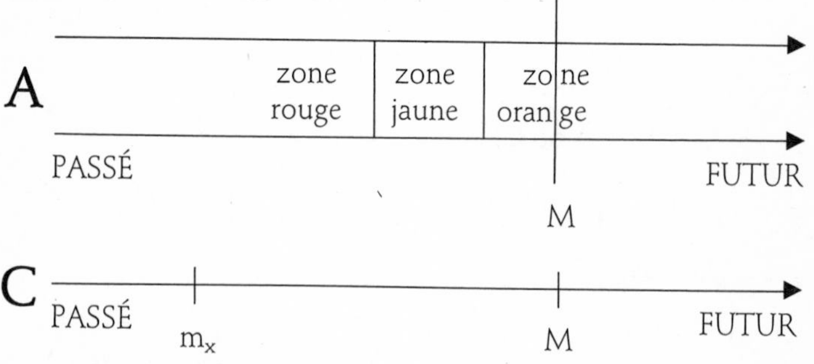

m_x : un moment x du passé

▶ «*Maintenant que vous avez lu* ces deux textes...» est bien représenté par le schéma A que vous connaissez (voir unité 1). Pour représenter «*Le 21 février 81,* René Dumont *a fait* un petit tour au bois de Vincennes, *le 22, il a lu... Le 21 février 81,* Françoise d'Eaubonne *a dîné* avec Gilbert Garnon», nous vous proposons le schéma C: un fait passé est relaté, d'où un simple trait sur la ligne du temps.

activité A2

1.

- Il est sorti?
- Oui.
- Bon, j'arrive.

À quel schéma (A ou C) «Il est sorti» correspond-il?

....

....

Et pourquoi?

....

....

....

2.

- Finalement elle est sortie avec lui, il y a quinze jours?
- Oui.
- Tout le week-end?
- Eh, oui!

À quel schéma (A ou C) «Elle est sortie» correspond-il?

....

....

Et pourquoi?

....

....

....

3.

- Il est revenu en 75, je te dis !

- Mais non, tu te trompes, il est revenu en 76, l'année du mariage de Catherine...

À quel schéma (A ou C) « Il est revenu » correspond-il ?

....

Et pourquoi ?

....

....

....

4.

- Je voudrais parler à Monsieur Bettex, s'il vous plaît... Il est là maintenant ?

- Oui, il est rentré de son déjeuner, je vous le passe.

À quel schéma (A ou C) « Il est rentré » correspond-il ?

....

Et pourquoi ?

....

....

....

activité A3

Lisez :

Février 77, Joseph Capaille a 55 ans. Pour ce Marseillais qui a passé sa vie dans l'ombre d'une salle de machines de l'E.D.F. (Électricité de France), c'est maintenant la bourlingue, l'aventure. Une dernière bise à Marie, sa femme, à ses cinq enfants, et il enfourche sa « petite reine ». Direction : le tour du monde. Pas moins.

Mars 80, les cheveux bruns hirsutes, les favoris en bataille, la peau tannée par le vent, le « Pistoléro » est de retour. Il vient de passer trois ans à flirter comme un fou avec « l'Aventureuse », sa bicyclette.

Transcription du récit de son voyage :

À 55 ans, Joseph fait le tour du monde à vélo.

- Vous faites du vélo depuis quand ?
Mon premier vélo je l'ai acheté à 27 ans en 49. Il m'a coûté 18 000 francs... j'ai commencé à faire de petits parcours...
J'ai fait l'Espagne, la Belgique, l'Italie, l'Allemagne...
J'ai fait des rallyes cyclotouristes, le Paris-Brest-Paris, 1 260 kilomètres en 4 jours, puis le Paris-Nice, le Paris-Galibier...

- Et vous avez organisé votre tour du monde ?
J'ai étudié la mappemonde, le grand atlas et je suis parti à la découverte, je suis parti à 55 ans avec les yeux d'un enfant de 10 ans...

- Vous êtes parti vers l'est ?
Oui, le 28 février 77, je suis parti en direction de Cassis, poussé par un mistral qui m'a aidé à monter la Gineste...
J'ai voulu monter en danseuse mais je n'ai pas réussi, par la suite, sans problèmes, je suis monté à des 4 850 m d'altitude. Mes premiers pas, ça a été l'Italie, la Yougoslavie, la Grèce, la Turquie, l'Iran, l'Afghanistan, le Pakistan, l'Inde, le Népal, retour en Inde, la Thaïlande...

- Vous avez rencontré beaucoup de routards ?
Oui, beaucoup, surtout à Bali. Bali, ça a été pour moi l'île de l'amitié. J'y ai rencontré Michel, un type du Canada. D'ailleurs, il m'a appelé de Montréal ce soir pendant plus d'une demi-heure. J'y ai rencontré un couple de jeunes du Vaucluse avec leur petite fille. Tous les ans, ils y vont, ils l'aiment bien l'Indonésie. Ils achètent des bijoux fabriqués par les Balinais, et ils les revendent aux touristes en été, dix fois le prix, ça leur paie tous les frais.

(Interview de Monique Glasberg, supplément Sandwich numéro 28, *Libération,* 7 juin 1980).

▶ Nous avons vu dans l'unité 1 et ici que le passé composé I (schéma A) est utilisé pour exprimer *(avec trace dans le présent)* ce qui est déjà réalisé au moment où la personne parle, écrit, lit, etc.

Vous pouvez maintenant comprendre que :

La même forme (avoir ou être + participe passé) est également utilisée (schéma C de cette unité) pour exprimer un passé plus ou moins lointain par rapport au moment où la personne parle, etc.

À la forme « avoir ou être + participe passé » avec valeur de présent accompli, nous avons donné le nom de *passé composé I*. Nous appellerons *passé composé II* la forme « avoir ou être + participe passé » avec valeur de passé (exemple : « Le 21 février 81, René Dumont a fait un petit tour au bois de Vincennes. »).

Dans cette unité, le schéma A représente le *passé composé I*, et le schéma C le *passé composé II*.

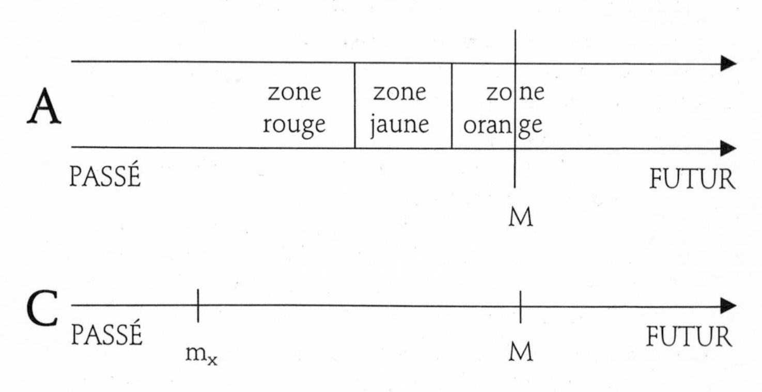

m_x : un moment x du passé

PARTIE B

activité B1

A. Lisez la transcription de cet entretien avec un restaurateur (55-60 ans).

- *Quand est-ce que vous avez quitté l'école ? À quel âge ?*
- Euh / à seize ans / oui.

- *Et / quand est-ce que vous avez commencé votre métier de restaurateur ?*
- À trente ans / j'ai quitté la ferme / j'ai pas que... / j'ai quitté l'école à seize ans / je suis resté à la ferme quatorze ans... / je suis resté à la ferme quatorze ans / jusqu'à l'âge de trente ans.

Cochez maintenant les affirmations qui vous paraissent justes :

Ce restaurateur :

1 - a travaillé chez ses parents, de seize ans à trente ans. ☐

2 - a commencé à travailler à trente ans. ☐

3 - a travaillé quatorze ans à la ferme. ☐

4 - a quitté l'école à quatorze ans. ☐

5 - a arrêté ses études à seize ans. ☐

B. Lisez la transcription de cet entretien avec une marchande de primeurs (53 ans).

- *Quel est votre nom ?*
- Marie Quédeglace.

À quel âge avez-vous quitté l'école ?
- À dix-huit ans...

Vous avez toujours été marchande de primeurs ?
- Non / j'ai été couturière d'abord / jusqu'à vingt-six... / jusqu'à l'âge de vingt-six ans.

- *Jusqu'à l'âge de vingt-six ans / oui / et comment... / vous avez abandonné votre travail après ?*
- Oui... j'ai eu deux enf... / j'ai eu des enfants / alors j'ai arrêté de travailler / puis j'ai repris le commerce de primeurs avec mon mari.

Cochez maintenant les affirmations qui vous paraissent justes :

Cette marchande :

1 - a toujours été marchande de primeurs. ☐

2 - a été d'abord couturière pendant vingt-six ans. ☐

3 - a été d'abord couturière jusqu'à l'âge de vingt-six ans. ☐

4 - a abandonné son travail à cause de ses enfants. ☐

5 - a recommencé à travailler avec son mari. ☐

6 - elle a été couturière de dix-huit ans à vingt-six ans. ☐

C. Lisez la transcription de cet entretien avec une religieuse (66 ans).

- *À quel âge êtes-vous entrée dans la vie active ?*
- Je suis entrée dans la vie active après mes études de noviciat / j'avais 25 ans.

- *Et vous habitez où / Madame ?*
- J'ai eu mon premier poste à Nevers / j'y ai travaillé pendant quinze ans / ensuite je suis à Ornans / à 25 km de Besançon depuis 1954 / donc voilà vingt-six ans.

Cochez maintenant les affirmations qui vous paraissent justes :
Cette religieuse :

1 - a fini ses études de noviciat à 25 ans. ☐

2 - a travaillé vingt-cinq ans à Nevers. ☐

3 - habite maintenant près de Besançon. ☐

D. Lisez la transcription de cet entretien avec un boucher retraité (65 ans).

- *Euh, est-ce que vous pouvez nous dire / Monsieur / à quel âge vous avez commencé à travailler ?*
- J'ai commencé à travailler à l'âge de douze ans.

- *Vous êtes de Besançon ?*
- Je suis de Besançon / oui.

- *Vous pouvez nous dire ce que vous faisiez comme travail ?*
- Oui / je suis boucher en retraite pour l'instant / j'ai fait vingt ans / chez les autres / c'est-à-dire à la sécurité sociale et trente et un ans chez moi / je veux dire artisanalement.

- *À votre compte ?*
- Oui / oui d'accord /.

Cochez maintenant les affirmations qui vous paraissent justes :

Ce boucher :

1 - a commencé à travailler très jeune. ☐

2 - a fait vingt ans chez un patron. ☐

3 - a travaillé trente et un ans à son compte. ☐

4 - a été son propre patron pendant trente et un ans. ☐

E. Lisez la transcription de cet entretien avec une agricultrice (65 ans).

- *Vous avez toujours vécu là ?*
- Oui.
- Mais non maman !
- Ah ben / oui / un petit laps de temps / mais très peu de temps / nous avons habité à Boussières / décembre / janvier / février / mars / avril / cinq mois / nous sommes restés cinq mois à Boussières... / à Boussières / y avait le beau-père qui était âgé / il fallait l'aider aux bêtes / puis mon beau-frère est revenu de la guerre / alors nous sommes retournés à Busy pour aider mon père / puis on est plus repartis.

Cochez maintenant les affirmations qui vous paraissent correctes :

1 - a toujours vécu à Busy. ☐

2 - a passé presque toute sa vie à Busy. ☐

3 - a vécu un court laps de temps à Boussières. ☐

4 - a vécu cinq mois à Boussières. ☐

5 - est restée la plus grande partie de sa vie à Busy. ☐

Vous pouvez maintenant comprendre que :

a) Le *passé composé II* est utilisé pour exprimer une période de temps passé limitée par deux frontières.

b) Le *passé composé II* est également utilisé pour exprimer une période de temps passé plus ou moins étendue.

Nous avons dans ces 2 cas, le schéma suivant :

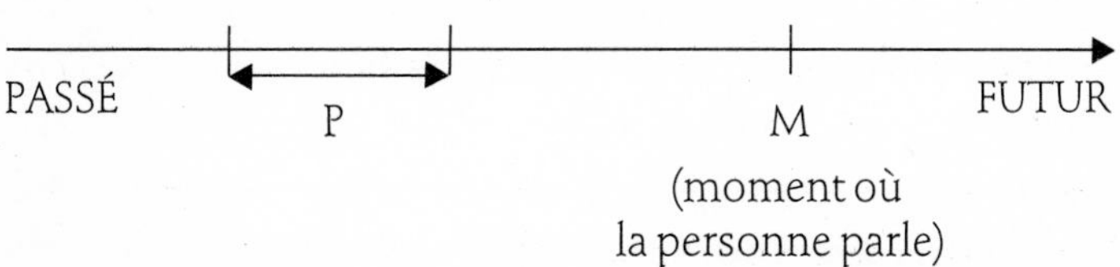

(moment où
la personne parle)

Remarque : dans un récit de type littéraire ou historique, ce rôle est rempli par le passé simple.

---

activité B2

Lisez ces extraits de conversations :

A - T'as aimé « América América » ?
- Ben oui / bien sûr / d'ailleurs je l'ai vu trois fois.

B - Moi je l'ai jamais plus vu hein depuis.
- Ah moi je l'ai rencontré plusieurs fois / cinq / six fois / je crois.

C - Tu connais bien Paris toi ?
- Bien sûr j'y ai travaillé / puis j'y suis retourné plus d'une fois depuis.

D - Vous regardez jamais le paysage ?
- Ben vous savez / j'ai fait le trajet plus de cent fois / alors.

E - Tu peux pas imaginer combien de fois j'ai écouté ce disque / cinquante / soixante fois / je ne sais pas /

T'es toute nue sous ton pull
Y a la rue qu'est maboul...

F - Ce rêve-là je l'ai bien fait une trentaine de fois / au moins / puis fini / il a disparu / je l'ai plus fait.

G - T'en as jamais pris ?
- Si / si / bien sûr / plusieurs fois.

Dans le tableau ci-dessous il y a des erreurs.
Voulez-vous les relever, s'il vous plaît ?

	A	*B*	*C*	*D*	*E*	*F*	*G*
Nombre	5/6	30	100	+ 1	50/60	3	Plusieurs

Vous pouvez comprendre également que :

Le *passé composé II* est utilisé quand on précise le nombre de fois (x fois) qu'un fait s'est produit dans le passé.

PARTIE C

activité C1

Lisez cet article tiré de *l'Est républicain* (quotidien régional) du 26.1.80.

TRADITIONS

Le maître tibétain Kalou Rimpoche au centre Lulier de Morey

Kalou Rimpoche, l'un des plus grands maîtres tibétains actuellement en vie, sera l'hôte à partir du 28 septembre du Centre culturel Claude-François-Lulier à l'abbaye de Morey (près de Cintrey) sur la RN 19 à la limite de la Haute-Saône.

Les visiteurs seront reçus dimanche 28 dès 10 h. Les cérémonies de bienvenue et les échanges avec Rimpoche auront lieu à partir de 11 h. Le repas peut être pris sur place. L'après-midi, lors d'un dialogue Orient-Occident avec un interprète, il répondra à toutes les questions (un enregistrement sera fait et l'on pourra se le procurer au centre). Ensuite, les entrevues personnelles dureront jusqu'au repas du soir (possibilité d'hébergement sur place). Des techniques simples de concentration et de méditation seront explicitées pour ceux qui le désirent et pourront se poursuivre le lendemain lundi.

Ensuite, Rimpoche se reposera à Morey d'où il repartira le 2 octobre vers son monastère de refuge en Inde.

Kalou Rimpoche est Tibétain et il a atteint un très haut degré de «réalisation». À 6 ans, il a commencé à étudier les enseignements traditionnels. Il a fait la retraite de 3 ans - 3 mois - 3 jours à 16 ans, puis il a médité pendant douze ans seul dans une grotte en haute altitude. Sur la demande de disciples de plus en plus nombreux, il a fondé un grand nombre de monastères depuis 1957 et de centres de méditation au Tibet, au Bouthan, en Inde et aux États-Unis, puis dans plusieurs pays d'Europe pour ceux qui veulent étudier en profondeur la pensée orientale.

Kalou Rimpoche écrit : *«À toutes les traditions je fais confiance. Là est l'essentiel ! Quant à la lignée à laquelle je me rattache, c'est celle de la transmission orale. Pure est ma motivation, vieux est mon corps, heureux est mon esprit».*

activité C2

Lisez ces biographies :

HIMES, Chester

Chester Himes est né en 1909 à Jefferson City, dans le Missouri. Il a fait ses études à l'université d'Ohio State, puis il a passé sept ans au pénitencier du même État pour vol à main armée. C'est là qu'il a écrit son premier roman. En 1953, il a quitté les États-Unis pour s'installer définitivement en Espagne. Chester Himes est l'un des romanciers noirs les plus lus, et sans doute le commentateur le plus original du problème racial aux États-Unis.

La Fin d'un primitif (1956)
La Reine des pommes (1958)
L'Aveugle au pistolet (1970)
S'il braille, lâche-le (1972)
La Troisième Génération (1973)

LEVI, Carlo

Carlo Levi est né à Turin, le 29 novembre 1902. Il a achevé en 1924 ses études de médecine, mais il s'est surtout consacré à la peinture et à l'activité politique. En 1930 il fonde, avec d'autres militants antifascistes, le mouvement Justice et Liberté. Il a exposé pour la première fois ses tableaux à Londres en 1930. Son activité antifasciste lui a valu d'être envoyé, de 1935 à 1936, en résidence surveillée dans un petit village de Lucanie. De 1943 à 1944 il a été un des chefs de la résistance florentine. Il a ensuite dirigé le journal *l'Italie libre* de Rome, en 1945. Il a poursuivi, depuis, son œuvre de peintre et d'écrivain. Carlo Levi est mort à Rome le 4 janvier 1975.

Le Christ s'est arrêté à Éboli (1948)
La Montre (1953)

GÜRSEL, Nedim

Nedim Gürsel est né en 1951 en Turquie. Il a fait ses études à Istanbul, puis à la Sorbonne. Il a soutenu une thèse de doctorat de littérature comparée sur Aragon et Nazim Hikmet. Depuis dix ans, il publie des récits, des articles, des essais critiques qui connaissent un grand succès dans son pays. Il est considéré comme l'un des chefs de file de la jeune littérature turque. Il enseigne actuellement à l'université de Paris-III.

Un long été à Istanbul (1980)

Rédigez à votre tour la biographie de votre écrivain ou de votre metteur en scène préféré (ou de tout autre personnage).

Prenez maintenant connaissance de ces deux annonces nécrologiques publiées dans le journal *le Monde* du même jour (25.08.1982) :

- Nous apprenons le décès de
Pierre GUILLEMOT,
survenu à son domicile de Saint-Pierre-lès-Nemours à l'âge de soixante-deux ans.

[Pierre Guillemot débuta dans un journal de la Résistance et entra à l'Agence centrale de presse en 1955. Il fonda le bureau de l'A.C.P. au Maroc et créa également une antenne de l'Agence à Bruxelles. Il revint à Paris en 1964. Nommé secrétaire général de la rédaction, puis rédacteur en chef, il quitta l'Agence en 1981 pour prendre sa retraite. Auteur de romans policiers sous le nom de Pierre Nemours, il reçut, en 1970, la Palme d'or du roman d'espionnage.]

- Nous rappelons le décès de
M. Jean-Jacques JUGLAS

[Né le 10 juin 1904, à Bergerac (Dordogne), agrégé d'histoire et de géographie, Jean-Jacques Juglas entre en 1936 au parti démocrate populaire. Sous l'Occupation, il milite dans la Résistance et il est l'un des promoteurs du M.R.P. Membre de deux assemblées constituantes, député de Paris (1946) et du Lot-et-Garonne (1951-1955), il devient ministre de la France d'outre-mer dans le cabinet Pierre Mendès France remanié (20 janvier-5 février), ce qui lui vaut d'être exclu du groupe M.R.P. En 1962, il enseigne au Conservatoire national des Arts et Métiers et à l'Institut des hautes études d'outre-mer. Il devient en 1970 directeur de l'Institut d'études de développement économique et social, fonction qu'il abandonne en 1972 pour raison de santé.

Jean-Jacques Juglas est chevalier de la Légion d'honneur et titulaire de la croix de guerre 1939-1945.]

▶ Dans ce journal, présent et passé simple (et non passé composé II) sont employés indifféremment dans ce type de rubrique.

Regardez maintenant cet article nécrologique paru dans *l'Est républicain* du 18.1.84. Il est presque entièrement rédigé au passé simple :

Mme Lucine Millesse nous a quittés

C'est une assistance nombreuse et recueillie qui a accompagné à sa dernière demeure Mme Lucine Millesse née Ponçot.

Mme Millesse a vu le jour le 17 mars 1902 à Guyans-Vennes au lieu-dit « Les Côtes » où elle passa son enfance.

Ensuite ses parents vinrent exploiter une ferme, à Le Luhier au lieu-dit « la Fretrotte » où elle passa sa jeunesse partagée avec ses dix frères et sœurs.

Elle dut très tôt aller comme bergère dans les communaux et ensuite comme servante dans les fermes pour gagner sa nourriture.

À la mort de sa mère, Mme Marie Ponçot née Gaiffe, elle dut rentrer et aider à la ferme de Montbéliardot jusqu'en mars 1933.

La même année, elle épousa M. Alphonse Millesse. Le jeune couple s'installa comme agriculteurs à Mont-de-Laval au lieu-dit « la Fin-dessous », ferme paternelle. Sept enfants naîtront de cette union, dont un décéda en bas âge.

En 1951, elle eut la grande douleur de perdre son époux et elle resta seule à la tête de l'exploitation avec six enfants à charge.

En 1965, un fils reprit l'exploitation lui permettant une retraite bien méritée.

Au cours de ces deux dernières années, sa santé déclina. En octobre dernier, après une chute entraînant la fêlure du col du fémur, elle dut subir trois semaines d'hospitalisation ; de retour dans sa famille, le mal ne fit que s'acharner sur elle et eut raison de son courage.

Mme Lucine Millesse laisse à sa famille, dans le village tout comme au club du troisième âge auquel elle participait avec beaucoup de joie, le souvenir de son courage, de son dévouement et de sa gentillesse.

▶ Une lecture régulière de ce journal confirme cette tendance : l'emploi du passé simple dans ce type de rubrique.

▶ Dans cette activité, nous avons vu que le scripteur, pour rédiger la biographie d'un personnage disparu, peut choisir comme temps principal, soit le passé composé, soit le passé simple, soit même le présent. Ce choix dépend de l'intention du scripteur et de la situation d'écriture.

▶ Ainsi la biographie de Carlo Levi peut être également rédigée au présent :

Carlo Levi naît à Turin, le 29 novembre 1902. Il achève en 1924 ses études de médecine, mais il se consacre surtout à la peinture et à l'activité politique. En 1930 il fonde, avec d'autres militants antifascistes, le mouvement Justice et Liberté. Il expose pour la première fois ses tableaux à Londres en 1930. Son activité antifasciste lui vaut d'être envoyé, de 1935 à 1936, en résidence surveillée dans un petit village de Lucanie. De 1943 à 1944, il est un des chefs de la résistance florentine. Il dirige ensuite le journal *l'Italie libre* de Rome, en 1945. Il poursuit après la guerre son œuvre de peintre et d'écrivain jusqu'à sa mort, à Rome, le 4 janvier 1975.

▶ **ou au passé simple :**

Carlo Levi naquit à Turin, le 29 novembre 1902. Il acheva en 1924 ses études de médecine, mais il se consacra surtout à la peinture et à l'activité politique. En 1930 il fonda, avec d'autres militants antifascistes, le mouvement Justice et Liberté. Il exposa pour la première fois ses tableaux à Londres en 1930. Son activité antifasciste lui valut d'être envoyé, de 1935 à 1936, en résidence surveillée dans un petit village de Lucanie. De 1943 à 1944, il fut un des chefs de la résistance florentine. Il dirigea ensuite le journal *l'Italie libre* de Rome, en 1945. Il poursuivit après la guerre son œuvre de peintre et d'écrivain jusqu'à sa mort, à Rome, le 4 janvier 1975.

Fin de l'unité 5.

unité 6

PARTIE A

activité A1

Regardez cette photographie.

Willy Ronis-Rapho

Pouvez-vous dire ou écrire ce qui apparaît au premier plan ? (ce qui se détache).

....

....

....

Et en arrière-plan ? (en fond).

....

....

....

activité A2

Vous allez lire trois transcriptions de récits de week-end. Pour chaque récit vous allez comparer deux versions, une version a) et une version b). Voulez-vous noter (transcrire) ce qui est en plus dans la version b) par rapport à la version a).

Récit 1

a) Samedi j'ai passé la journée avec des amis| et le soir | eh bien le soir| nous sommes allés à la Taverne Alsacienne| nous avons mangé une choucroute| puis tout le monde est venu chez moi| on a écouté des disques| on a discuté| dimanche? | rien de spécial| je suis restée chez moi| voilà!

b) Samedi j'ai passé la journée avec des amis| et le soir| eh bien le soir| nous sommes allés à la Taverne Alsacienne| c'était plein de monde| nous avons mangé une choucroute| puis tout le monde est venu chez moi| on a écouté des disques| on a discuté| c'était assez sympa| dimanche?| rien de spécial| il faisait pas bien beau hein| je suis restée chez moi| voilà!

Ce qui est en plus dans la version b:

....

....

....

Récit 2

a) Hier je me suis levé très tard| j'ai pas eu le temps de préparer à manger| pour midi| alors avec Maryse on est allés manger au Petit Polonais| l'après-midi| un copain et sa copine sont venus nous voir| on est allés se promener le long du Doubs| jusqu'à la Double Écluse.

b) Hier je me suis levé très tard| oui j'étais un peu faible| j'ai pas eu le temps de préparer à manger| pour midi| alors avec Maryse on est allés manger au Petit Polonais| l'après-midi| un copain et sa copine sont venus nous voir| il faisait bon| on est allés se promener le long du Doubs| jusqu'à la Double Écluse| y avait beaucoup de péniches| elles attendaient| à cause de la crue.

Ce qui est en plus dans la version b :

....

....

....

Récit 3

a) Je suis allée à la campagne| je me suis arrêtée chez les parents d'une amie| ils sont agriculteurs| on a mangé une tarte aux pruneaux| puis je suis rentrée| des amis sont arrivés à l'improviste| j'ai fait des spaghetti à la milanaise| on a discuté très tard.

b) Il faisait rudement beau hier| je suis allée à la campagne| je me suis arrêtée chez les parents d'une amie| ils sont agriculteurs| on a mangé une tarte aux pruneaux| c'était délicieux| puis je suis rentrée| des amis sont arrivés à l'improviste| ils venaient de loin| j'ai fait des spaghetti à la milanaise| on a discuté très tard| c'était chouette| très chouette.

Ce qui est en plus dans la version b :

....

....

....

activité A3

1. Lisez cette petite annonce (*).

Samedi après-midi tu es brune je t'ai croisée nous avons échangé un regard furtif tu descendais la rue des Carmes tu étais accompagnée tu portais une cape noire et des bottes marron je voudrais te revoir et te parler si tu te reconnais et si tu veux je te donne rendez-vous le samedi 29 septembre au buffet de la gare de Lausanne je n'ai rien à te proposer
Robert Montrapon
8, rue de la Bête de Bruant
Lausanne

(*) Petite annonce du type de celles que l'on trouve dans le journal *Libération*.

2. Regardez maintenant deux versions typographiques de cette petite annonce :

A

SAMEDI APRÈS-MIDI
JE T'AI CROISÉE
NOUS AVONS ÉCHANGÉ
UN REGARD FURTIF

tu descendais la rue des Carmes tu étais accompagnée tu portais une cape noire et des bottes marron.

B

samedi après-midi je t'ai croisée nous avons échangé un regard furtif

TU DESCENDAIS LA RUE DES CARMES

TU ÉTAIS ACCOMPAGNÉE TU PORTAIS

UNE CAPE NOIRE ET DES BOTTES MARRON

Laquelle de ces 2 versions, à votre avis, vous paraît correspondre à l'opposition premier plan - arrière-plan, telle qu'elle apparaît dans les activités A1 et A2 ?

A B

3. Regardez maintenant deux versions typographiques du même poème :

1.

Dehors la pluie glissait si douce qu'on avait
envie de lui dire d'entrer veste blanche
les serveurs allaient et venaient
le brouhaha était léger

BUFFET DE LA GARE DE LAUSANNE
SAMEDI À MIDI
UN CLIENT A ABOYÉ À UN SERVEUR
RENTRE DANS TON PAYS

de l'autre côté de la vitre les trains fidèles
enfin chez soi tu buvais deux déci de fendant
rien à voir avec les buffets de gare français en
Formica.
Tu échangeais quelques mots avec un voisin de table
nez fleuri propret.

2.

Buffet de la gare de Lausanne samedi à midi

DEHORS LA PLUIE ÉTAIT SI DOUCE QU'ON AVAIT ENVIE
DE LUI DIRE D'ENTRER VESTE BLANCHE
LES SERVEURS ALLAIENT ET VENAIENT
LE BROUHAHA ÉTAIT LÉGER
DE L'AUTRE CÔTÉ DE LA VITRE LES TRAINS FIDÈLES
ENFIN CHEZ SOI TU BUVAIS DEUX DÉCI DE FENDANT
RIEN À VOIR AVEC LES BUFFETS DE GARE FRANÇAIS
EN FORMICA TU ÉCHANGEAIS QUELQUES MOTS
AVEC UN VOISIN DE TABLE NEZ FLEURI PROPRET

Un client a aboyé à un serveur rentre dans ton pays.

Laquelle, à votre avis, correspond le mieux aux valeurs respectives du passé composé II (lire Passé composé II) et de l'imparfait, que vous commencez à saisir ?

[1] [2]

activité A4

Proposez maintenant une version typographique pour la petite annonce suivante, version en accord avec les valeurs relatives de l'imparfait et du passé composé.

Brune aux yeux bleus tu lisais *Libé* dans le train de Lille arrivé à Paris à 11 h 31 le mardi 4.11. Tu étais vêtue d'un pull-over mauve et d'un pantalon noir (il me semble), d'une veste de peau marron. Tu as daigné me fixer quelques instants, à l'arrivée du train l'air sûr de toi et avant que je n'aie pu t'aborder, tu as disparu. Si tu aimes la discussion (rapport de force) voudrais-tu prendre contact avec moi par courrier ?

Pierre Cerdan, 3, rue Dom Bougre des Chartreux, Paris 75014.

Utilisant les expressions *premier plan* et *arrière-plan* (voir activité A1), pouvez-vous dire maintenant laquelle de ces expressions correspond le mieux à l'imparfait ?
Et au passé composé II ? (Lire Passé composé II.)

activité A5

Lisez :

« ... Paris était immense et calme, presque silencieux, avec des gerbes de lumière, des pans d'ombre aux bons endroits, des bruits qui pénétraient le silence au moment opportun.
Le vieux monsieur à la veste claire avait ouvert un carton rempli d'images et, pour les regarder, appuyé le carton sur le parapet de pierre.
L'étudiant américain portait une chemise à carreaux rouges et n'avait pas de veston.
La marchande, assise sur un pliant, remuait les lèvres, sans regarder son client, à qui elle parlait comme une eau coule. Elle tricotait. De la laine rouge glissait entre ses doigts.
La chienne blanche courbait l'échine sous le poids du gros mâle qui sortait une langue mouillée.
Et alors, quand tout fut en place, quand la perfection de ce matin-là atteignit un degré presque effrayant, le vieux monsieur mourut, sans rien dire, sans une plainte, sans une contorsion, en regardant ses images, en écoutant la voix de la marchande qui coulait toujours, le pépiement des moineaux, les klaxons dispersés des taxis... »

SIMENON, *l'Enterrement de M. Bouvet*. Presses de la Cité, Paris, 1962. Pages 8-9.

À votre avis, dans ce texte, l'imparfait et le passé simple sont-ils dans la même relation *(arrière-plan, premier plan)* que l'imparfait et le passé composé II, telle qu'elle apparaît dans les activités A2 et A4 ?

activité A6

Lisez ce début de nouvelle :

Peut-être était-ce bien à cause de la neige qui tombait à flocons épais et lourds, le temps ce soir-là semblait vouloir prendre une pause, faire du sur place.
La voûte ferrée de la gare de Lyon apparut encore plus forte au professeur Pierre Guimard, qui comme tous les jeudis rentrait de province à Paris. Ce spécialiste de la communication non-verbale, d'une infinie sensibilité aux gestes et aux mimiques de ses semblables dont il décodait depuis vingt ans les intentions, éprouvait sous cette voûte un profond sentiment de sécurité. Aussi pour prolonger son plaisir, ne mettait-il aucune hâte à quitter le quai. Il hésitait d'ailleurs quant à ce qu'il allait faire : rentrer rue de Chambéry, dans son étroit

appartement qui était plus un bureau aménagé pour ses études qu'un refuge douillet, ou s'attabler au buffet où, tout en buvant une bière brune, une Porter 39, il pourrait noter de mémoire, sans que rien le trahisse, un mouvement de la tête ou de la main qui s'inscrirait dans sa théorie. Il optait pour cet arrêt et s'apprêtait à quitter le quai pour s'engager sur la plate-forme centrale de la gare quand une femme blonde, gracieuse, d'une cinquantaine d'années, au visage rond et frais, bonnet et manteau de laine gris s'approcha de lui, et sans qu'il ait eu le temps d'esquisser la moindre parade l'embrassa sur les deux joues en lui disant :
- Tu as fait bon voyage, mon chéri ? Ça a marché tes cours ?
Il rosit sous les baisers, malgré lui son corps se détendit et il répondit naturellement oui. Elle continua :
- J'ai réussi à me garer près de la gare. Viens.
Et elle lui prit le bras, elle était presque aussi grande que lui. Peut-être à cause de la neige, du temps qui faisait une pause, il suivit l'inconnue.

Après avoir lu ce texte, **vous pouvez comprendre que :**

Le récit avance avec le passé simple.

Voulez-vous rédiger la fin de cette nouvelle ?

activité A7

Dans son livre *Exercices de style,* Raymond Queneau a écrit le texte suivant en utilisant seulement, par fantaisie, l'imparfait. **Pouvez-vous le recomposer au passé simple et à l'imparfait en tenant compte des valeurs respectives de ces deux temps : *premier plan* et *arrière-plan.***

IMPARFAIT
C'était midi. Les voyageurs montaient dans l'autobus. On était serré. Un jeune monsieur portait sur sa tête un chapeau qui était entouré d'une tresse et non d'un ruban. Il avait un long cou. Il se plaignait auprès de son voisin des heurts que ce dernier lui infligeait. Dès qu'il apercevait une place libre, il se précipitait vers elle et s'y asseyait.
Je l'apercevais plus tard, devant la gare Saint-Lazare.

(Éditions Gallimard, 1947.)

activité A8

Lisez ce texte :

UN MATIN

C'était un beau matin de mai et les oiseaux chantaient délicieusement dans quatre arbres. Les uns chantaient en celte (irlandais, scottish-gaélique, cumbrique, gallois, cornique ou breton) ; les autres en langue romane (oïl, oc, si, catalan, espagnol ou gallego-portugais). Aucun ne chantait en chien. Dans le pin un écureuil lisait le *Times*. De temps en temps il prenait deux noisettes dans sa bibliothèque, tout en parcourant la rubrique des décès et fiançailles située en première page. Il grignotait l'une et lançait l'autre dans la rivière d'où un saumon bondissait afin de l'attraper avant qu'elle ne touche l'eau. C'était un moment d'un douceur inexprimable.

Jacques ROUBAUD, *la Bibliothèque oulipienne,* Slatkine, Paris 1981, page 141.

Attendez-vous une suite ?
Si oui, pourquoi ?
Si non, pourquoi ?

activité A9

Lisez ce texte :

LE BLANC

Écoutez, j'étais jeune encore, c'était ici à la campagne. C'était en juin ou juillet, il me semble. C'était la pleine lune. C'était tard le soir après le dîner. D. était dans le jardin, il m'a appelée, il m'a dit qu'il voulait me montrer ce qu'il en devenait de la blancheur des fleurs blanches à la pleine lune par temps clair. Il ne savait pas si je l'avais déjà remarqué. En fait non, jamais. À l'emplacement des massifs de marguerites et des roses blanches il y avait de la neige mais si éclatante, si blanche qu'elle faisait s'obscurcir tout le jardin, les autres fleurs, les arbres. Les roses rouges en étaient devenues très sombres, presque disparues. Restait cette blancheur incompréhensible que je n'ai jamais oubliée. La nuit était si transparente que le ciel était bleu. On aurait pu lire dehors tellement la clarté était intense. Enfants, à la pleine lune on lisait la nuit sur la véranda du bungalow, face à la forêt du Siam.

Marguerite DURAS. *Les Cahiers du cinéma,* n° spécial M. DURAS.

Nous avons vu dans l'activité A6 que le récit avance avec le passé simple. Après la lecture de ce dernier texte (LE BLANC), **vous pouvez maintenant comprendre que :**

Le récit s'immobilise avec l'imparfait.

En effet, ici, par l'accumulation d'imparfaits, d'arrière-plans, Marguerite Duras charge le texte en temps, d'où l'impression produite chez le lecteur d'un temps qui ne fuit plus, mais qui reste comme « cette blancheur incompréhensible ».

Pouvez-vous, selon ce modèle, écrire l'un de vos souvenirs ?

PARTIE B

activité B1

Récit de rêve :

- Il y avait quelqu'un dans la cour et puis j'avais peur parce qu'il ne voulait pas s'en aller... Vous savez, c'était vague. Je voulais allumer la lampe de cour, et je ne le pouvais pas, enfin j'avais peur. Ça m'a réveillée et c'était fini : je ne me rappelle plus après. Une autre fois, j'allais en vélo, j'ai rêvé que je ne pourrais jamais retrouver mon vélo. J'étais partie quelque part... mon mari tenait son cheval et je ne pouvais pas les retrouver. Je ne sais pas où il était parti avec le cheval, et puis la carriole... C'était un pays que je n'avais jamais vu, et je ne pouvais pas retrouver mon chemin.

Quel est le temps principal utilisé par la narratrice, une veuve d'ouvrier agricole, âgée de 70 ans, pour raconter ces deux rêves ?

Pensez-vous qu'elle aurait pu dire ?

« Je ne savais pas où il était parti avec le cheval », à la place de « Je ne sais pas où il était parti avec le cheval ».

activité B2

Récit de rêve :

- On arrive dans une gare abandonnée et on demande à quelle heure il y a un train. Je sais que je suis dans le coin où nous avons l'exploitation, mais je ne connais pas cette gare. Je ne suis pas le seul, mais avec un groupe de copains et une fille que j'ai draguée dans un bal. Le chef de gare répond derrière un verre dépoli ou sale et il crie des stations qui ne correspondent pas du tout à celles du pays. Il parle de Mâcon ou de Berlin et nous nous demandons dans quelle direction nous partirons. Or nous prenons le train parce que c'est l'hiver et que les routes sont gelées. Mais il y a du soleil chaud partout et des fleurs. Le chef de gare continue à crier des stations, sans dire les heures. Je demande à quelle heure on part. Il continue à dire ses noms de gares qui sont très loin. Je tourne les yeux autour de nous et par les fenêtres de la gare je vois un pays que je ne connais pas, très chaud et très vert, avec des chevaux qui courent partout. Je sais que le train ne vient pas et je me réveille parce que le train ne vient pas...

▶ **Ici, le narrateur, un jeune agriculteur du Sud-Ouest, a utilisé le présent pour raconter son rêve.**

▶ **De même le poète Louis Aragon, dans le *numéro 9* de la *Révolution surréaliste* (1927) :**

Après une longue marche je me trouve dans un compartiment de troisième classe où il y a des voyageurs que je distingue mal. Sur le point de m'endormir je remarque que les secousses régulières du wagon scandent un mot, toujours le même qui est à peu près Adéphaude. L'adéphaude est une pierre précieuse que je vois posée dans le filet à côté d'un paquet mal fait, enveloppé dans de la toile d'emballage, sur lequel une étiquette de chemin de fer porte cette inscription : Rhodes 1415, ce qui est une erreur, j'en suis convaincu.

activité B3

- Ben, l'autre nuit, j'étais à l'école, le maître d'école m'avait interrogée sur une récitation, et je la savais pas. Alors, j'étais devant toutes les élèves, très... émue. Alors fallait que le maître d'école m'aide à réciter cette récitation parce que je l'avais pas apprise. Alors j'étais bien embêtée.

▶ C'est l'imparfait que la narratrice, une jeune employée de maison à la campagne, utilise ici.

▶ Ainsi, pour raconter un rêve unique, on peut utiliser soit l'imparfait, soit le présent.

activité B4

Pouvez-vous, maintenant, reprenant le rêve de l'activité B3, substituer le présent à l'imparfait à partir de « J'étais à l'école » ?

....

....

....

....

....

....

....

▶ Vous avez été amené(e) à opérer d'autres changements :

m'a interrogée pour *m'avait interrogée*

parce que je (ne) l'ai pas apprise pour *parce que je (ne) l'avais pas apprise.*

Rêve d'une retraitée parisienne :

- Je suis dans le métro et, soudain, des hommes me barrent le chemin. J'ai dans mon sac une grosse somme d'argent, alors, je cherche à m'échapper. Je cours très vite. Je prends des couloirs obscurs. J'entends leur galopade derrière moi... Je sens bien qu'ils ne me rattraperont pas, quand bien même je ne sais pas où je me dirige.

Pouvez-vous reprendre ce rêve, en substituant l'imparfait au présent?

....

....

....

....

....

....

....

▶ Vous avez été amené(e) à opérer un autre changement:
qu'ils ne me rattraperaient pas pour *ne me rattraperont pas.*

Rêve d'un agriculteur:

- Je marche dans les Flandres avec une troupe, et nous venons de nous rendre. Il y a des gens qui ne peuvent plus marcher, mais on ne sait pas ce qu'ils deviennent.

Pouvez-vous reprendre ce rêve, en substituant l'imparfait au présent?

....

....

....

....

▶ Vous avez été amené(e) à faire ce changement:
nous venions de nous rendre pour *nous venons de nous rendre.*

Voici maintenant *un rêve fait par une femme de cadre:*

- J'étais toute décoiffée et je ne savais plus où me mettre, nous étions à la rue et je pensais aux amies qui allaient comprendre que nous étions des vagabonds.

Pouvez-vous, reprenant ce rêve, substituer le présent à l'imparfait?

....

....

....

....

▶ Vous avez été amené(e) à opérer ce changement:
vont comprendre pour *allaient comprendre.*

Rêve d'un étudiant:

- Nous avions décidé de nous marier dès que Maryse aurait fini ses études. Elle n'arrivait pas à les finir, elle passait sans cesse des examens.

Pouvez-vous, reprenant ce rêve, substituer le présent à l'imparfait?

....

....

....

....

▶ Vous avez été amené(e) à opérer entre autres le changement suivant:
dès que Maryse aura fini ses études pour *dès que Maryse aurait fini ses études.*

▶ Suite aux activités B1 à B4, le présent et l'imparfait apparaissent comme des temps par rapport auxquels s'organisent d'autres temps qui indiquent **l'antériorité** (dans nos textes: *nous venons de nous rendre, le maître nous a interrogés,* pour le présent; *nous venions de nous rendre, le maître nous avait interrogés* pour l'imparfait) et **la postériorité** (dans nos textes: *je pense aux amies qui vont comprendre, dès que Maryse aura fini ses études, je sens bien qu'ils ne me rattraperont pas,* pour le présent; *je pensais aux amies qui allaient comprendre, dès que Maryse aurait* *fini ses études, je sentais bien qu'ils ne me rattraperaient pas,* pour l'imparfait).

▶ Nous avons donc deux systèmes parallèles, l'un avec pour centre le **présent,** l'autre avec pour centre l'**imparfait.**

Généralement, le premier système est lié au monde actuel, contemporain du moment où nous parlons, le second au monde non actuel.

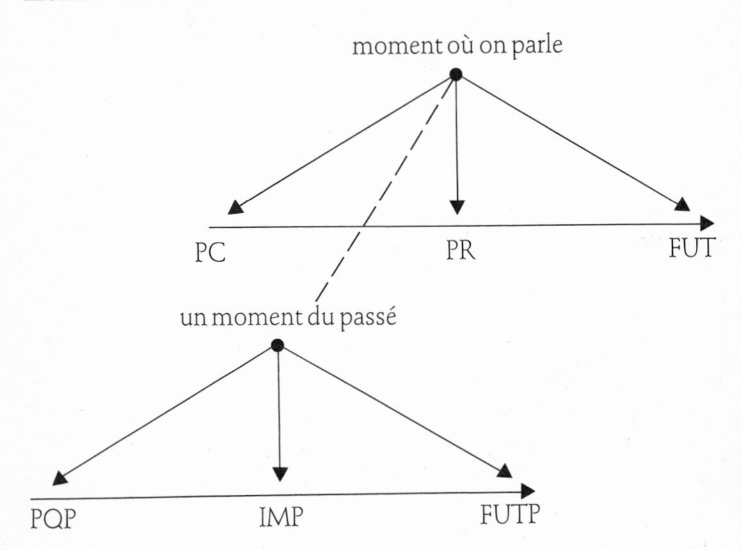

Il peut arriver, comme nous l'avons vu pour les rêves, que le narrateur utilise le premier système (avec le présent) pour du non-actuel : il revit alors ce qu'il raconte.

***Vous avez accompli* les activités B1, B2, B3 de l'unité 6.**

Vous *finissez en ce moment* l'activité B4 et *vous allez passer* à l'activité B5.

Il y a quinze jours : ....

....

....

Note : Le schéma ci-dessus est tiré de CO VET, *Temps, aspects et adverbes de temps en français contemporain* (Droz, Genève, 1980, page 32).

activité B5

À partir de la reproduction ci-dessous, laissez-vous aller à rêver :

activité B6

Dans l'activité B4, vous avez repris le rêve de la retraitée parisienne à l'imparfait :

- J'étais dans le métro et soudain des hommes me barraient le chemin. J'avais dans mon sac une grosse somme d'argent, alors, je cherchais à m'échapper. Je courais très vite. Je prenais des couloirs obscurs. J'entendais leur galopade derrière moi... Je sentais bien qu'ils ne me rattraperaient pas, quand bien même je ne savais pas où je me dirigeais.

Note : Les rêves rapportés dans cette partie de l'unité 6 (sauf le rêve de l'étudiant) sont tous extraits de *la Banque des rêves. Essai d'anthropologie du rêveur contemporain,* Jean Duvignaud, Françoise Duvignaud, Jean-Pierre Corbeau. (Payot, Paris, 1979.)

Faisant entrer en jeu les notions de premier plan et d'arrière-plan, dégagées dans la partie A de cette unité, pouvez-vous recomposer ce texte ?

....

....

....

....

....

....

....

▶ Vous avez été amené(e) à utiliser le passé composé II (valeur de passé) : il s'agit d'un récit à la première personne, d'un récit oral transcrit (la présence de « alors » indique bien qu'il s'agit d'un récit oral de ce type).

▶ Vous êtes peut-être arrivé(e) à la recomposition suivante :
- J'étais dans le métro et soudain des hommes m'*ont barré* le chemin. J'avais dans mon sac une grosse somme d'argent, alors, j'*ai cherché* à m'échapper. J'*ai couru* très vite. J'*ai pris* des couloirs obscurs. J'entendais leur galopade derrière moi... Je sentais bien qu'ils ne me rattraperaient pas, quand bien même je ne savais pas où je me dirigeais.

Supposons maintenant qu'il s'agisse d'un *récit de type littéraire* à la troisième personne. Quel temps substituerez-vous au passé composé II ?

Voulez-vous recomposer ce texte ?

- Elle était ....

....

....

....

....

....

....

Voici maintenant le rêve d'une épicière :

- Je suis en train de ranger mes boîtes de conserve dans l'arrière-boutique. Soudain, j'entends un grand bruit et je m'aperçois que c'est un gros camion semi-remorque qui vient de pénétrer dans mon magasin, écrasant tout sur son passage. Le chauffeur me dit avec un beau sourire qu'il fait des livraisons rapides. Il recule et je me retrouve seule au milieu de ce désastre.

Voulez-vous recomposer ce texte avec le passé composé II et l'imparfait, en ayant à l'esprit les notions de premier plan et d'arrière-plan ?

Voulez-vous mettre aux temps convenables les verbes entre parenthèses, en tenant compte des notions de premier plan et d'arrière-plan, et du fait qu'il s'agit d'un texte littéraire (une nouvelle) ?

Sur Tokyo, il .... (neiger). Gare d'Ikebukuro, Keiko Hasegawa .... (se diriger) vers un distributeur automatique de tickets. Au passage, elle .... (jeter) en souriant un regard sur une dizaine de salary-men qui .... (gesticuler) au téléphone, juste à l'entrée du métro. Ils .... (téléphoner) sans doute à leur femme pour leur dire qu'ils .... (rentre) tard et .... (avancer) toutes sortes de prétextes. « Il faudrait que je les prenne en photo, pour montrer à mes collègues sceptiques que, nous Japonais, nous ne sommes pas si uniques ! » C'est là qu'elle .... (conduire) Pierre, lors de son prochain séjour à Tokyo. La veille elle .... (lire) son dernier article, dans une revue d'anthropologie.

Elle .... (aimer) la neige, surtout cette neige, lourde, ralentie. Elle .... (se souvenir) d'un haïku qu'elle .... (traduire) pour Pierre :

Longue lente chute de neige
le temps à pas de voleur
dans la cour du temple.

Celle-ci .... (sembler) tomber pour s'appuyer sur votre épaule. Keiko .... (se rappeler) le temps où, au parc d'Ueno, elle .... (se blottir) contre Nozomi en contemplant la lune.

PARTIE C

activité C1

1. Un commissaire enquête sur un crime, dans un hôtel, à Paris. **Lisez les réponses des personnes qu'il a interrogées.**

Madame A. - Je dormais| je dormais profondément|moi| vous savez| je prends des somnifères|alors !

Madame B. - J'ai dormi toute la nuit|j'ai entendu rien| j'étais trop fatiguée|

Monsieur C. - Je dormais| oui le coup de feu m'a réveillé| j'ai couru à la fenêtre| il pleuvait| il n'y avait personne dans la rue| non je n'ai vu personne|

Monsieur D. - Je dormais toute la nuit| désolé| je n'ai rien entendu| je regrette beaucoup|

Monsieur E. - J'ai dormi depuis deux heures quand c'est arrivé| je n'ai rien entendu vous pensez !

2. Le commissaire pense que l'auteur du crime ne peut pas être un étranger. **Quelles sont alors les personnes qui sont hors de cause (innocentes) :**

Comment avez-vous reconnu qu'elles étaient étrangères ?

3. « Le coup de feu m'a réveillé, j'ai couru à la fenêtre, il pleuvait », dit Monsieur C.
Pouvez-vous dire :

a) s'il a plu toute la nuit

oui non je ne sais pas

b) s'il pleuvait une heure avant

oui non je ne sais pas

c) s'il pleuvait encore une heure après

oui non je ne sais pas

activité C2

Prenez connaissance des dialogues suivants et répondez aux questions qui les suivent:

1.
A - Tu sais où il habite| Marcel?
B - Tout ce que je sais c'est qu'il habitait 20 rue des Granges| l'année dernière...

Question: Pensez-vous que *A* a une chance de trouver Marcel, 20, rue des Granges, s'il y va?

oui non je ne sais pas

2.
A - Tu sais où il habite| Marcel?
B - Tout ce que je sais c'est qu'il a habité 20| rue des Granges| l'année dernière...

Question: Pensez-vous que *A* a une chance de trouver Marcel, 20, rue des Granges, s'il y va?

oui non je ne sais pas

3.
A - Dis| je suis passé devant le bar de l'Université tout à l'heure| j'ai vu Maurice| il t'attendait...

Question: Pensez-vous que Maurice sera toujours là quand *B* arrivera au bar de l'Université?

oui non je ne sais pas

4.
A - Dis| je suis passé devant le bar de l'Université tout à l'heure| j'ai vu Maurice| Qu'est-ce qu'il t'a attendu!
B - J'ai eu un pépin!

Question: Pensez-vous que Maurice sera toujours devant le bar de l'Université, si *B* y va tout de suite?

oui non je ne sais pas

D'après votre propre sentiment linguistique, **vous pouvez maintenant comprendre que** :

a) par *l'imparfait* est exprimé ce qui est en cours à un moment du passé. On ne peut pas prédire si cela s'arrête ou si cela continue après ce moment,

b) c'est donc un temps ouvert,

c) on peut comparer *l'imparfait* au cours d'une rivière, le moment à un pont. Bien sûr, le cours de la rivière peut continuer son chemin ou être arrêté par un barrage.

activité C3

Pour vérifier votre compétence, répondez aux questions suivantes :

1 - Si quelqu'un fermait la fenêtre, et tout en la fermant a été interrompu, est-ce qu'il l'a fermée ?

oui non je ne sais pas

2 - Si quelqu'un se noyait, est-ce que vous pourriez le sauver ?

oui non

3 - Il écrivait une lettre.

Est-elle terminée ?

oui non je ne sais pas

4 - Les Niçois battaient les Stéphanois mais, tout compte fait, ils ne les ont pas battus.

a) la phrase a un sens.

b) elle n'a pas de sens.

5 - Il s'est noyé, mais je l'ai sauvé.

a) la phrase a un sens.

b) la phrase n'a aucun sens.

Ce dernier questionnaire est tiré de la thèse de Milan GOLIAN, *l'Aspect verbal en français*, juin 1977, université de Paris-V.

unité 7

PARTIE A

activité A1

Lisez ces transcriptions de dialogues :

1.

- Tu faisais une tête ce matin !
- Tu parles ! J'avais pas fermé l'œil de la nuit !
- Qu'est-ce que t'as encore fait ?
- Non, on a répété jusqu'à dix heures, puis après, impossible de dormir...

2.

- Il était pas brillant hier soir, hein, quand il est arrivé !
- Il avait bu.
- À cette heure-là ?
- Il boit tout le temps en ce moment !
- Mais pourquoi ?
- Tu sais pas ? Sa femme l'a plaqué il y a une semaine.

3.

- Tu devineras jamais qui j'ai rencontré la semaine dernière !
- Comment tu veux que je sache !
- Ferdinand !
- Ferdi ? (*étonnement*) Non ! (*doute*)
- Oui, Ferdi. Je l'avais pas vu depuis deux ans !
- Il était avec Rosalie ?
- Non. Ils se sont quittés il y a quatre ans ! (*évidence*)
- Ils se sont séparés ? (*étonnement*) Alors ça !

Maintenant, pour les phrases A, B et C des dialogues ci-dessus donnés, voulez-vous indiquer le rang chronologique des événements ou des états rapportés ?

Dialogue 1 :

A - Tu faisais une tête ce matin ! Rang : ....

B - J'avais pas fermé l'œil de la nuit ! Rang : ....

C - On a répété jusqu'à dix heures. Rang : ....

Dialogue 2 :

A - Il était pas brillant hier soir ! Rang : ....

B - Il avait bu. Rang : ....

C - Sa femme l'a plaqué il y a une semaine. Rang : ....

Dialogue 3 :

A - Tu devineras jamais qui j'ai rencontré la semaine dernière ! Rang : ....

B - Je l'avais pas vu depuis deux ans ! Rang : ....

C - Ils se sont quittés il y a quatre ans. Rang : ....

▶ **Le plus-que-parfait ne peut être considéré comme un passé lointain.**

activité A2

Lisez cette transcription :

- À quel âge vous avez quitté l'école ?

- Je l'ai quittée à quatorze ans.

- Est-ce que vous avez choisi votre profession ?

- Ben... je l'ai choisie, c'est-à-dire... c'est plutôt mes parents qui me l'ont choisie. J'ai appris le métier de cordonnier : ils me disaient que j'étais pas capable de faire autre chose, bon, parce que j'avais mal étudié, disons...

Vous vous rappelez le schéma A proposé pour le passé-composé I dans l'unité 1 :

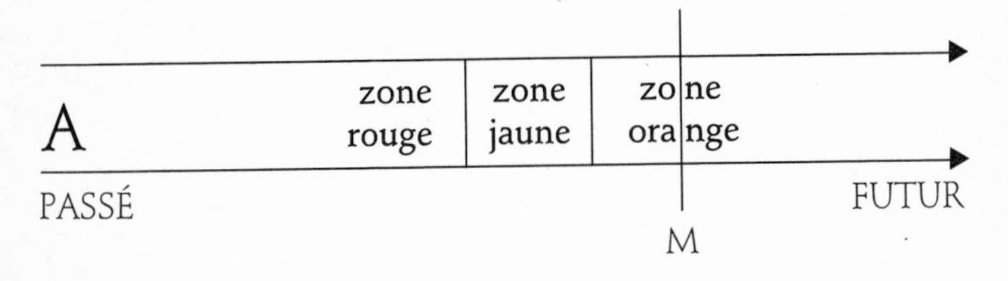

À partir de ce dialogue (j'avais mal étudié) et des dialogues 1 et 2 de l'activité A1 (j'avais pas fermé l'œil de la nuit, il avait bu), **vous pouvez maintenant comprendre que :**

Le plus-que-parfait joue le même rôle que *le passé composé I*, avec la différence qu'il joue ce rôle non par rapport au moment où la personne parle mais par rapport à un moment quelconque du passé.

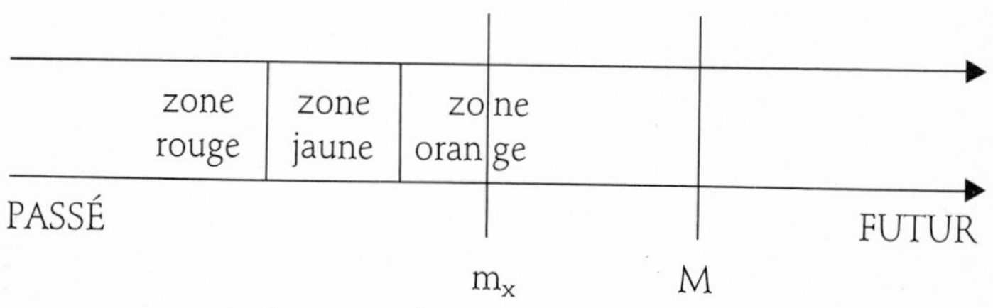

m_x : moment quelconque du passé plus ou moins éloigné de M (moment où la personne parle).

▶ En effet, en ce qui concerne le dialogue 2 par exemple, la personne en question, à un moment du passé dont on parle (hier soir), était dans l'état de (transformation - résultat) quelqu'un qui a bu.

Avec le passé composé I, il y a trace au moment où la personne parle (j'ai compris : je suis dans l'état de quelqu'un qui a compris) ; *avec le plus-que-parfait il y a trace à un moment quelconque du passé* (j'avais pas fermé l'œil de la nuit : j'étais dans l'état de quelqu'un qui n'avait pas fermé l'œil de la nuit - j'avais mal étudié : je ne pouvais pas prétendre à grand-chose).

PARTIE B

activité B1

1. Soit :
A - Cette maison, je l'ai construite de mes mains.
B - Cette maison, je l'avais construite de mes mains.

Seriez-vous d'accord pour dire ?
(*A* -) implique que celui qui a construit la maison en jouit maintenant ou que cette maison est toujours là.

oui non je ne sais pas

(*B* -) implique que celui qui a construit la maison a pu la vendre, s'en séparer ou bien qu'elle a peut-être été détruite par un bombardement ou un tremblement de terre.

oui non je ne sais pas

2. Soit :
A - Je me suis juré de ne plus le voir.
B - Je m'étais juré de ne plus le voir.

Seriez-vous d'accord pour dire ?
(*A* -) implique que la personne qui parle n'a pas revu l'homme en question, depuis son serment.

oui non je ne sais pas

(*B* -) implique que la personne qui parle a pu revoir l'homme en question malgré son serment.

oui non je ne sais pas

3. Soit :
A - Je l'avais choisi pour sa droiture.
B - Je l'ai choisi pour sa droiture.

Seriez-vous d'accord pour dire ?
(*A* -) implique que la personne qui parle a pu changer d'opinion.

oui non je ne sais pas

(*B* -) implique que la personne qui parle n'a pas changé d'opinion.

oui non je ne sais pas

4. Soit:
A - À Jean, je lui ai dit de ne pas aller le voir.
B - À Jean, je lui avais dit de ne pas aller le voir.

Seriez-vous d'accord pour dire ?
(*A* -) implique que Jean n'y est pas allé.

oui non je ne sais pas

(*B* -) implique que Jean a pu y aller.

oui non je ne sais pas

Si vous avez des hésitations, vous pouvez vous référer aux contextes donnés ci-dessous.

1.
A - Oui| ben... cette maison| je l'ai construite de mes mains| enfin des amis m'ont aidé| vous comprenez que j'y tienne.

B - Oui| cette maison| je l'avais construite de mes mains| vous comprenez que j'y tenais| aussi quand j'ai dû la vendre...| enfin c'est la vie.

2.
A - Ah non ce salaud| je me suis juré de plus le voir| après ce qu'il m'a fait| non jamais je le reverrai| même s'il venait me manger dans la main| ah non alors jamais plus !

B - Oui| je m'étais juré de plus le voir| et puis j'ai flanché| je l'aimais trop| vous comprenez| j'étais folle de lui| c'est ça.

3.
A - Quand je pense que je l'avais choisi pour sa droiture ! pour sa droiture ! vous vous rendez compte ! ça vous pouvez dire qu'il m'a eu| quand il est parti avec la caisse.

B - Oui je l'ai choisi pour sa droiture| la droiture dans des affaires comme ça| c'est l'essentiel non ?

4.
A - À Jean| je lui ai dit de ne pas aller le voir| il ne supporterait pas| si tu voyais dans quel état il est Maurice.

B - À Jean je lui avais dit de ne pas y aller| mais tu connais Jean| il y est allé| ça l'a retourné| bien sûr il fallait pas qu'il y aille| enfin pas maintenant.

▶ Dans ces situations, avec le passé composé I, la trace est toujours présente : ainsi, dans la situation 1*A*, la personne qui parle est toujours propriétaire de la maison ; avec le plus-que-parfait, la trace a disparu. Entre le moment du passé où elle était tangible et le moment où la personne parle, quelque chose est arrivé qui l'a effacée : ainsi, dans la situation 1*B*, la personne qui parle n'est plus propriétaire de la maison en question.

activité B2

Lisez ce texte paru dans *l'Est républicain* du 29 juillet 1985.

Michel Brignot - L'Est républicain

Noces de diamant. C'est en effet leurs soixante années de mariage qu'ont célébrées hier, en famille, à Besançon, M. et Mme Alfred Dugourd, qui demeurent 62 avenue Clemenceau, depuis 1934.

Âgé aujourd'hui de quatre-vingt-six ans, Alfred Dugourd, natif de Fourg, avait, le 18 avril 1925, à Busy, pris pour épouse Camille, de trois ans sa cadette, et originaire de Coulans-sur-Lison. De cette union sont nés cinq enfants : Paulette, épouse de M. Perriguet, professeur d'histoire-géographie en retraite à Besançon ; Colette, épouse de M. Laithier, chef de service EDF à Nancy ; André, conducteur de travaux à l'entreprise Barde, de Busy ; Jean, agent de police urbaine à Besançon, et Michel, médecin psychiatre à Nice. Quatorze petits-enfants et huit arrière-petits-enfants prolongent, aujourd'hui, la lignée du cheminot bisontin. Car M. Dugourd a passé sa vie active au service marchandises de la gare de Viotte.

Une cérémonie religieuse a réuni toute la famille et les proches connaissances, hier matin, en l'église Saint-Joseph, avenue Villarceau, et les joyeuses retrouvailles se sont poursuivies dans un restaurant du quartier Saint-Claude.

Le temps utilisé dans la phrase : ... Alfred Dugourd, natif de Fourg avait, le 18 avril 1925, à Busy, pris pour épouse Camille... **vous paraît-il tout à fait approprié au contexte ? Expliquez votre réponse.**

activité B3

Voici trois petites annonces. L'une d'elles comporte une erreur de temps. Pouvez-vous indiquer laquelle ?

1

Rappelle-toi tu m'avais dit que tu m'aimerais pour la vie entière et puis tu m'as quittée sans crier gare un soir de novembre alors que dans la rue et dans mon cœur il faisait froid. Je gèle toujours. Personne n'a pu réchauffer mes pieds comme toi. Fais-moi signe au 45.47.48.12.

2

On a fixé rendez-vous métro Alésia côté Zeyer. Je suis arrivée trop tard mais j'ai envie de te revoir. Téléphone-moi. Le numéro est juste.

3

Christian tu faisais du stop le 19 juin sur la RN7 après Fontainebleau. Je t'ai emmené jusqu'à Montargis puis ai poussé jusqu'à Bière. Tu allais passer quelques jours chez ton père à Clermont-Ferrand. Tu avais un sac en toile verte. Tu m'as donné un numéro de téléphone incomplet. Je voudrais te revoir à mon prochain passage à Paris. Téléphone-moi vite. Minouche.

Composez à votre tour deux annonces de ce type, l'une où vous utiliserez entre autres temps le passé composé II, l'autre où vous serez amené(e) à employer le plus-que-parfait.

PARTIE C

Lisez ces contes froids de Jacques Sternberg :

1. L'emploi.

Chef de station à la R.A.T.P., il avait fait des économies toute sa vie pour se faire construire un caveau funéraire qui représentait une entrée de métro.

(Paru dans *le Monde* du 17.02.1980).

2. La courtoisie.

Il avait passé toute sa vie à respecter avec vigilance toutes les règles de la politesse et du savoir-vivre. Mais ce monde qui devenait de plus en plus mal embouché, en arriva à le lasser. Il décida un soir de le quitter alors qu'il attendait le métro.
Et, avant de se jeter sous la rame du métro, il distribua des billets de banque à tous les voyageurs qui attendaient sur le quai.
- Ne me remerciez pas, leur disait-il. Voici de quoi prendre un taxi.

(Paru dans *le Monde* du 13.04.1980).

3. Le devoir.

C.R.S. d'élite et de choc, il avait toujours participé à toutes les répressions depuis mai 68 et il avait toujours fait plus que son devoir.
On dut quand même le limoger, douze ans plus tard, quand il lança une grenade lacrymogène sur un groupe d'ouvriers qui descellaient des pavés pour réparer une tuyauterie.

(Paru dans *le Monde* du 20.04.1980).

Voulez-vous à votre tour composer un conte froid ou un conte chaud ?

unité 8

PARTIE A

Ah, si j'étais !...
par Catherine Rihoit

Si j'étais romancière, je serais absolument tout ce que je veux.
J'aurais des tas de personnages, tout ce monde-là marcherait à la baguette.
Ce serait dans leur intérêt.
Les personnages qui seraient vraiment très gentils, je leur donnerais une suite au prochain numéro.
Les autres, tant pis pour eux.
Ce serait comme ça. Quand je n'aurais plus envie d'être quelqu'un d'autre, je refermerais le cahier.

---

le Monde Dimanche, juillet 1982.

activité A1

Si vous maîtrisez ce type de construction, vous n'avez pas besoin de faire cette unité.

▶ Cette phrase implique qu'il est possible que vous maîtrisiez ce type de construction.

Dans quelle situation vous trouvez-vous ?

(A) Vous maîtrisez ce type de construction.

ou

(B) Vous ne maîtrisez pas très bien ce type de construction.

Si vous êtes dans la situation (B), c'est votre intérêt de faire cette unité.

Évidemment :

***Si vous maîtrisiez* ce type de construction *vous n'auriez pas besoin* de la faire.**

Cette phrase implique clairement que vous ne maîtrisez pas ce type de construction.

***Si vous étiez* bilingue,**
***vous n'auriez pas besoin* de ce livre,**
n'est-ce pas ?

Seriez-vous d'accord avec ce commentaire :

▶ Dans ce type de construction (si + imparfait et conditionnel présent) :

▶ L'hypothèse (si vous étiez bilingue) est contraire à ce que l'on suppose (je suppose que vous n'êtes pas bilingue).

▶ La situation imaginaire est amenée par l'imparfait, et le conditionnel présent place ce qui est dit ensuite dans l'irréel.

▶ La valeur négative de l'hypothèse est forte (je ne m'attends pas à ce que vous soyez bilingue).

activité A2

Prenez connaissance des échanges suivants :

1.
- Et s'il tombait des cordes, qu'est-ce qu'on ferait ?
- Qu'est-ce qu'on ferait ? Qu'est-ce qu'on ferait ? On ferait avec, on se débrouillerait !

2.
- Et s'il avait raison ?
- Évidemment, ça changerait tout.

3.
Et s'il échouait ?
- Ne parle pas de malheur !

4.
- Il n'osera pas venir.
- Mais s'il venait ?
- Eh bien, on ferait comme si rien ne s'était passé !

5.
- Et si tout ça n'était que du vent ?
- Ne plaisante pas !

Que pensez-vous de la valeur de l'hypothèse dans ces échanges ?

1. La valeur négative de l'hypothèse est forte .... ☐
2. La valeur positive de l'hypothèse est à prendre en considération : ça peut arriver.. ☐

Vous pouvez maintenant comprendre que :

Dans le type de constructions étudiées (*si* + *imparfait* et *conditionnel présent*) :

a) Généralement, la valeur négative de l'hypothèse est privilégiée :
« Si vous étiez bilingue, vous n'auriez pas besoin de ce livre » implique que vous n'êtes pas bilingue.

b) Dans certains contextes, la valeur positive de l'hypothèse n'est pas exclue :
- Et s'il tombait des cordes ?
- On se débrouillerait.
Dans cette situation, la pluie est envisagée comme un phénomène possible.

► *Remarque à propos de l'emploi de l'imparfait dans ce type de construction* : cet emploi est à mettre en rapport avec le caractère non actuel de ce temps (voir unité 6 - partie B).

PARTIE B

Si vous étiez bilingue, *vous n'auriez pas besoin* de ce livre.

À votre avis, est-il possible d'exprimer la même idée en utilisant un autre temps que l'imparfait ?

oui non je ne sais pas

Si vous avez répondu « oui », pouvez-vous écrire ci-dessous la phrase que vous proposez :

....

Si vous avez répondu « je ne sais pas », « non », ou que vous n'êtes pas arrivé(e) à :

Vous seriez bilingue, *vous n'auriez pas besoin* de ce livre.

Regardez les énoncés suivants :

1. Tu aurais ton doctorat, tu serais tranquille.
2. Il ferait beau, on sortirait.
3. Elle aurait un travail à mi-temps, ça nous arrangerait.
4. Il parlerait plus clairement, on ne s'en plaindrait pas.
5. Il fumerait moins, il s'en porterait mieux.
6. La droite gagnerait, ça ne m'étonnerait pas !

Vous pouvez maintenant comprendre que :

À la place de la construction :
- [*si + imparfait*] + *conditionnel présent* - une autre formulation est possible :
- *conditionnel présent + conditionnel présent*.

PARTIE C

Lisez cet extrait d'un roman de Georges Perec, *les Choses* :

L'œil, d'abord, glisserait sur la moquette grise d'un long corridor, haut et étroit. Les murs seraient des placards de bois clair, dont les ferrures de cuivre luiraient. [...]
Ce serait une salle de séjour, longue de sept mètres environ, large de trois. À gauche, dans une sorte d'alcôve, un gros divan de cuir noir fatigué serait flanqué de deux bibliothèques en merisier pâle où des livres s'entasseraient pêle-mêle. [...]
La première porte ouvrirait sur une chambre au plancher recouvert d'une moquette claire. Un grand lit anglais occuperait tout le fond. À droite, de chaque côté de la fenêtre, deux étagères étroites et hautes contiendraient quelques livres inlassablement repris, des albums, des jeux de cartes, des pots, des colliers, des pacotilles. [...]
La seconde porte découvrirait un bureau. Les murs, de haut en bas, seraient tapissés de livres et de revues, avec, çà et là, pour rompre la succession des reliures et des brochages, quelques gravures, des dessins, des photographies. [...]

Georges PEREC, *les Choses*, « Une histoire des années soixante », Julliard, 1965.

À la manière de Georges Perec, pouvez-vous décrire l'appartement ou la maison de vos rêves ?

....

....

....

....

....

....

....

....

....

....

▶ Ainsi, pour décrire l'appartement ou la maison de vos rêves, vous avez été amené(e) à utiliser le conditionnel présent, qui apparaît bien comme le temps de l'imaginaire.

PARTIE D

Propos d'un jeune homme de 17 ans.

- *Qu'est-ce que tu aimerais faire dans la vie ?*
- Je voudrais travailler dans la publicité...
- *Ah ! tu penses déjà sérieusement à ça ou... ?*
- Disons que... on est dans la période de l'année où on commence un peu à se renseigner là-dessus, mais enfin... j'ai pas pris de décision.
- *Précise...*
- Puis faut pas trop rêver, hein, avec le chômage, hm !...

Seriez-vous d'accord avec ce commentaire :

► **le locuteur exprime ses souhaits,**

► **l'emploi du conditionnel présent paraît tout à fait naturel, vu la valeur reconnue à ce temps dans cette unité.**

PARTIE E

Prenez connaissance des échanges suivants :

1.
- Tu sais ce qu'on raconte ? Les Lecouvreur divorceraient !
- Après trente ans de mariage !

2.
- Tu connais pas la dernière ? Il serait question de réduire les vacances scolaires !

3.
- Tu sais pas ce que j'ai entendu dire ? Le T.G.V. passerait plus par Besançon, l'année prochaine !

Lisez ces extraits de presse :

1 - Le président des États-Unis serait atteint d'un cancer.

2 - Le président de la République se rendrait en Guinée, l'année prochaine.

3 - Les États-Unis envisageraient de quitter d'autres organismes internationaux que l'Unesco.

Après avoir pris connaissance de ces échanges et lu ces extraits de presse, pouvez-vous répondre à la question suivante ?

Ces informations sont-elles du domaine du certain ?

oui non je ne sais pas

Seriez-vous maintenant d'accord avec ce commentaire :

► Les locuteurs ou les scripteurs expriment par l'utilisation du conditionnel présent une certaine distance par rapport à l'information qu'ils rapportent.

Lisez ce petit texte :

Quoique réduit à faire la manche du côté du Panthéon, le comte Tarnowski avait gardé de belles manières : il abordait les passants en ces termes :
- « Pourriez-vous, Madame, Monsieur, me dépanner pour tout ou partie de dix francs ? »

Seriez-vous d'accord avec ce commentaire :

► Si le locuteur exprime sa demande en utilisant le conditionnel présent (Pourriez-vous) plutôt que le présent (Pouvez-vous), c'est qu'il veut la présenter moins brutalement.

► L'utilisation du conditionnel présent est fréquente pour l'expression d'une demande, d'une offre (je pourrais vous aider), d'un désir (j'aimerais), d'un conseil (je vous conseillerais).

► Le locuteur en choisissant le conditionnel présent pour s'exprimer marque ainsi sa retenue.

Vous pouvez maintenant comprendre que :

dans la dernière partie de cette unité, le *conditionnel présent* apparaît comme permettant d'exprimer une distance, soit par rapport à une information dont on n'est pas certain, soit par rapport à ses propres demandes, offres, désirs, conseils, etc.

---

unité 9

PARTIE A

Lisez les affirmations suivantes, pour chacune d'elles dites si elle est vraie ou fausse pour vous ou sans rapport avec votre situation personnelle (SR).

1. Si vous aviez passé votre enfance et votre jeunesse dans un pays francophone, vous parleriez couramment français.

vrai faux SR

2. Si votre mère avait été d'origine française, vous seriez peut-être bilingue.

vrai faux SR

3. Si vous aviez été élevé(e) dans un milieu totalement différent du vôtre, vous seriez sans doute autre que ce que vous êtes.

vrai faux SR

4. Si vous aviez été élevé(e) dans le milieu du cirque, vous seriez peut-être à l'heure actuelle clown, trapéziste ou dompteur(se).

vrai faux SR

Seriez-vous maintenant d'accord avec ce commentaire :

▶ Dans ce type de constructions (si + plus-que-parfait et conditionnel présent), la valeur positive de l'hypothèse est totalement exclue (en fait, vous n'avez pas passé votre enfance et votre jeunesse dans un pays francophone, vous n'avez pas été élevé(e) dans le milieu du cirque, etc.).

▶ La conséquence fictive de la situation imaginaire amenée par le plus-que-parfait est envisagée comme contemporaine du moment où vous lisez ces affirmations, d'où l'utilisation du conditionnel présent.

PARTIE B

activité B1

Lisez les affirmations suivantes, pour chacune dites si elle est vraie ou fausse pour vous, ou sans rapport avec votre situation personnelle (SR).

1. Si vous aviez eu d'autres influences, peut-être n'auriez-vous pas choisi le français comme objet d'étude.

vrai faux SR

2. Si vous n'aviez rencontré aucune difficulté en français, vous n'auriez pas acheté ce livre.

vrai faux SR

3. Si vous aviez eu l'occasion de venir en France il y a quelques années, vous l'auriez saisie.

vrai faux SR

4. Vous auriez été élevé(e) dans une famille de musiciens, vous auriez appris à jouer d'un instrument de musique très tôt.

vrai faux SR

Prenez connaissance de cet extrait des mémoires de Simone de BEAUVOIR *Tout compte fait*, Gallimard, 1972, page 25.

Que serait-il arrivé si ma situation familiale avait été autre ? Là-dessus je peux faire plusieurs suppositions... Si ma mère avait été moins indiscrète et moins tyrannique, les limites de son intelligence m'auraient moins gênée ; la rancune n'aurait pas oblitéré l'affection que je lui portais et j'aurais mieux supporté l'éloignement de mon père. Si mon père, sans même intervenir dans ma lutte contre ma mère, avait continué à s'intéresser à moi, cela m'aurait beaucoup aidée. S'il avait franchement pris mon parti, réclamant pour moi certaines libertés qu'elle m'eût alors accordées, ma vie en aurait été allégée. Si tous deux s'étaient montrés amicaux, j'aurais tout de même été en opposition avec leur manière de vivre et de penser ; j'aurais plus ou moins étouffé à la maison et je me serais sentie seule : mais non pas rejetée, exilée, trahie. Mon destin n'en aurait pas été changé : mais beaucoup d'inutiles tristesses m'auraient été épargnées.

activité B2

Voici maintenant deux interviews authentiques, celle d'une épicière de 45 ans, puis celle d'une cultivatrice de 70 ans.

Transcription de la première interview :

- *Maintenant, vous êtes épicière. Est-ce que vous êtes bien dans votre métier ?*
- Oh oui, très bien.

- *Mais quand vous étiez jeune, qu'est-ce que vous vouliez faire ?*
- Oh ben, si je vous raconte ça ! J'aurais voulu étudier d'abord...

- *Oui...*
- Puis j'aurais voulu avoir mes parents que j'ai perdus toute jeune...

- *Ah bon !*
- Ce qui m'a beaucoup manqué dans ma vie, voilà. Autrement...

- *Mais, euh... vous auriez aimé étudier ?*
- Oh oui !

- *Oui. Est-ce que vous auriez... ?*
- J'aurais aimé la musique... j'aurais aimé un tas de choses que j'ai jamais pu faire : j'ai pas eu la possibilité parce que mes parents étaient pauvres...

- *Oui, mais la musique, ça, ça aurait été bien, ça... ?*
- Oh, oh oui, j'aurais aimé la musique, oh là là, oh là là, oui !

- *Vous avez pas un peu de nostalgie de temps en temps ?*
- Quelquefois si, j'y pense : oh si si, oh !

- *Merci.*
- Oh ! de rien.

Note : les interviews retranscrites dans l'unité 8 (partie D) et l'unité 9 (partie B, activité B2) sont extraites de *Oh là là*, livre du professeur, Geneviève Calbris et Jacques Montredon (CLÉ International, Paris, 1981).

Question :

- Si ses parents avaient vécu plus longtemps et s'ils avaient été riches, cette épicière aurait sans doute étudié la musique pour laquelle elle avait une passion.

vrai faux

Transcription de la deuxième interview :

- *Tu m'avais dit quand t'as quitté l'école à quatorze ans, t'aurais bien aimé faire des études, tu sentais...*
- Oh ! oh ! oui, je sentais que j'aurais... j'aurais bien appris... seulement mes parents pouvaient pas me placer (1) : ils étaient pas assez riches pour me payer la pension à Besançon, voilà.

- *Oui, parce que tu travaillais bien...*
- Oh ! oui j'aurais, je sentais que ça voulait partir hein... j'aurais bien...

- *C'est dommage, ça !*
- Oh ! tais-toi, j'aurais été institutrice !

(1) ne pouvaient pas me placer = ne pouvaient pas me mettre en pension.

Questions :

- Cette cultivatrice a quitté l'école à quatorze ans, mais si elle en avait eu la possibilité, elle aurait aimé faire des études.

vrai faux

- « Oh ! tais-toi, j'aurais été institutrice ! » signifie qu'elle préfère qu'on ne lui parle plus des études qu'elle aurait pu faire tellement elle regrette de n'être pas devenue institutrice.

vrai faux

- « Oh ! tais-toi, j'aurais été institutrice ! » signifie : « Quel dommage ! », « Que c'est bête tout ça » : c'est l'expression du regret.

vrai faux

Après ces lectures, **vous pouvez maintenant comprendre que :**

a) dans ce type de construction (si + plus-que-parfait et conditionnel passé), la valeur positive de l'hypothèse est totalement exclue (vous n'avez pas été élevé(e) dans une famille de musiciens, l'agricultrice n'a pas eu la possibilité de faire des études),

b) la conséquence fictive est envisagée comme antérieure au moment où les locuteurs parlent, au moment où les scripteurs écrivent,

c) ce type de construction permet entre autres aux locuteurs et aux scripteurs d'exprimer leur regret dans des énoncés tels que : « Si j'avais su ! » ou « Si j'avais su, je ne lui aurais pas prêté de l'argent ! », « Si j'avais imaginé ça ! » ou « Si j'avais imaginé ça, je ne me serais pas embarqué dans cette aventure ! » Ou bien encore : « Si mon père, sans même intervenir dans ma lutte contre ma mère, avait continué à s'intéresser à moi, cela m'aurait beaucoup aidée. »

PARTIE C

activité C1

Prenez connaissance de ces échanges :

1.
A - J'ai été complètement flouée (1)...
B - Avoue que tu aurais pu y regarder à deux fois avant de t'embarquer dans cette histoire...

2.
A - Tu aurais jamais dû la laisser partir... c'était un coup de tête (2)...
B - De toute façon la vie devenait infernale...

3.
A - Tu aurais pu me prévenir : j'aurais fait des courses.
B - T'inquiète pas : on a amené tout ce qu'il fallait.

4.
A - Vous n'êtes plus un enfant : vous auriez pu prévoir ce qui allait se passer...
B - Je dois dire que j'ai été d'une naïveté !

Seriez-vous d'accord avec ce commentaire :

▶ Dans ces échanges, le locuteur *B* du premier dialogue et les locuteurs *A* des autres dialogues se situent dans un imaginaire rétrospectif : on ne peut revenir sur ce qui a été fait ou pas fait ;

(1) trompée.
(2) une décision irréfléchie.

▶ Dans ce type de construction (utilisation du conditionnel passé en combinaison avec les verbes pouvoir et devoir), le locuteur exprime un reproche ;

▶ Ce reproche peut parfois s'adresser à soi-même : « j'aurais dû me méfier », « j'aurais pu mieux m'informer », etc. ;

▶ Le conditionnel passé apparaît bien ici comme le temps de l'imaginaire rétrospectif.

activité C2

Soit l'échange :

Jacques - Ça marche avec Juliette ?

Rémi - Si ça marche ? (Geste) Comme ça !

Jacques - J'aurais jamais cru... Si j'avais su !

Comment interprétez-vous « J'aurais jamais cru » ?

....

....

....

....

Seriez-vous d'accord avec cette interprétation ?
À un moment du passé, Jacques a considéré la probabilité que Rémi réussisse à sortir avec Juliette comme égale à zéro (si on lui avait dit ça, il ne l'aurait pas cru),

oui non je ne sais pas

Comment interprétez-vous « Si j'avais su » ?

....

....

....

....

Seriez-vous d'accord avec cette interprétation ?
Jacques exprime ainsi son regret de n'avoir pas tenté sa chance,

oui non je ne sais pas

PARTIE D

Lisez et comparez :

A - Le président de la République se rendrait en Guinée.
B - Le Premier ministre israélien aurait rencontré un leader palestinien.

Lisez et comparez :

A - Tu sais ce qu'on raconte ? Les Lecouvreur divorceraient !
B - Tu sais ce qu'on raconte ? Les Lecouvreur auraient divorcé !

Seriez-vous d'accord avec ce commentaire **?**

▶ Ici les locuteurs et les scripteurs expriment par l'utilisation des conditionnels une certaine distance par rapport aux informations qu'ils rapportent ;

▶ En ce qui concerne les productions B, l'événement dont il est question aurait *déjà* eu lieu ;

▶ *À la fin de ces unités (8 et 9), ne pensez-vous pas que les grammairiens auraient dû éviter de dénommer conditionnel présent et conditionnel passé les formes verbales que nous venons d'étudier ?.* Nous avons pensé de notre côté à « imaginaire prospectif » pour le conditionnel présent et à « imaginaire rétrospectif » pour le conditionnel passé, mais cela ne couvre pas tous les emplois recensés ici et ailleurs (voir en particulier l'unité 6). À défaut, et pour ne pas vous dérouter, nous avons donc conservé la terminologie habituelle.

Bibliographie

BENVENISTE E. - *Problèmes de linguistique générale*, tome I, Gallimard, Paris, 1966.

CO VET - *Temps, aspects et adverbes de temps en français contemporain*, Droz, Genève, 1980.

FRANCKEL J.J. - « Description et représentation de certaines déterminations aspectuelles », dans *Linguistique, énonciation : aspects et détermination*, Paris, collection Connaissance et Langage, E.H.E.S.S. - « Futur simple et futur proche », *Français dans le monde*, numéro 182, pages 65-70.

FUCHS C. et LÉONARD A.M. - *Vers une théorie des aspects*, Mouton, La Haye, 1979.

GOLIAN M. - *L'Aspect verbal en français*, thèse, université de Paris-V, 1977.

GUILLAUME G. - *Leçons de linguistique* (1948-1949), publiées par Roch Valin, Klincksieck, Paris, 1971.

MONTREDON J. - *Enseignement des temps verbaux à un public d'étudiants japonais dans une didactique du français langue étrangère*, thèse, Besançon, 1981.

WEINRICH H. - *Le Temps*, le Seuil, Paris, 1973.

Solutions et commentaires complémentaires

Unité 1

Activité C

P. 9

1. « J'ai trop mangé à midi » est à rattacher au schéma A, « Il déjeune » est à rattacher au schéma B.

2. « T'as bien dormi » et « J'ai déjà déjeuné » sont à rattacher au schéma A.

Unité 2

Activité A

P. 11

Énoncés grammaticalement justes : 2, 3.
Énoncés non grammaticalement justes : 1, 4 et 5.

D'où :

> « Je l'ai vu récemment. »
>
> « Je suis arrivé il y a dix minutes. »
>
> « Tu as écrit ça tout à l'heure. »

Unité 3

Activité A

P. 14

La réplique 1 correspond à l'énoncé *B*.

La réplique 2 correspond à l'énoncé *A*.

La réplique 3 correspond à l'énoncé *B*.

La réplique 4 correspond à l'énoncé *A*.

Activité C

P. 15

L'emploi de « en train de » est approprié à la situation puisque c'est maintenant que les gens reviennent à l'idée que l'école, ça sert à quelque chose, et ce depuis peu.

Unité 4

Activité A2

P. 17

Réplique probable après *A* : Merci, c'est gentil.

Réplique probable après *B* : Quand ? Elle va encore rester. Je préfère la faire tout de suite.

Activité A4

P. 18

A et *B* sont justes tous les deux.

Unité 5

PARTIE A

Activité A2

P. 23

1.
Il est sorti ? = Il n'est plus là ? (schéma A - passé composé I).

2.
Elle est sortie avec lui, il y a quinze jours ?
- Oui (elle est sortie avec lui). Relation d'un fait passé (schéma C).

3.
Il y a ici ambiguïté due aux deux valeurs du passé composé (passé composé I et passé composé II). Soit la personne dont on parle est revenue en France, par exemple en 1976, puis est repartie (schéma C), soit depuis cette date elle n'a plus quitté la France (schéma A) et elle y est actuellement. Le sens s'éclaire par le contexte et/ou les connaissances que les interlocuteurs ont de la vie de la personne en question.

4.
Schéma A. La personne à qui on veut parler est là maintenant.

PARTIE B

Activité B1

P. 26

A. affirmations justes 1 - 3 - 5

B. affirmations justes 3 - 4 - 5 - 6

C. affirmations justes 1 - 3

D. affirmations justes 1 - 2 - 3 - 4

E. affirmations justes 2 - 3 - 4 - 5

Activité B2

P. 30

Tableau exact :

A	B	C	D	E	F	G
3	5/6	plu-sieurs	+ 100	50/60	30	plu-sieurs

PARTIE C

Activité C2

P. 32

À noter que depuis la rédaction de la biographie de Chester Himes, celui-ci est décédé.

Autre exemple de biographie :

LE PÈRE MICHEL DE CERTEAU

Le Père Michel de Certeau, jésuite, philosophe et écrivain, est mort d'un cancer le vendredi 10 janvier. Il était âgé de soixante ans.

Michel de Certeau est né le 17 mai 1925 à Chambéry (Savoie). Entré dans la Compagnie de Jésus en 1950, il est ordonné prêtre le 31 juillet 1956.

Sa carrière sera surtout celle d'un écrivain, d'un philosophe et d'un universitaire. Membre de l'école freudienne, il a enseigné à l'université Paris-VII, au département d'anthropologie, ainsi qu'à l'Institut catholique de Paris, au département de théologie. Il collabore aux revues Études, Christus *et* Esprit. *Il enseigne aux États-Unis, en Californie, puis est nommé, en 1984, directeur d'études à l'École des hautes études en sciences sociales à Paris.*

*C'est avec le directeur d'*Esprit, *Jean-Marie Domenach, qu'il a écrit, en 1974,* le Christianisme éclaté *(Seuil). Parmi ses autres œuvres :* l'Étranger ou l'Union dans la différence, *en 1969,* l'Écriture et l'Histoire, *en 1975 (Gallimard) ;* la Fable mystique, *en 1982 (Gallimard).*

Le Monde, 11 janvier 1986.

Unité 6

PARTIE A

Activité A1

P. 36

Premier plan : un couple à un balcon en fer forgé.
Arrière-plan : Paris.

Activité A2

P. 37

Récit 1

Ce qui est en plus dans la version b :
- c'était plein de monde,
- c'était assez sympa,
- il faisait pas bien beau hein.

Récit 2

Ce qui est en plus dans la version b :
- oui j'étais un peu faible,
- il faisait bon,
- y avait beaucoup de péniches,
- elles attendaient à cause de la crue.

Récit 3

Ce qui est en plus dans la version b :
- il faisait rudement beau hier,
- c'était délicieux,
- ils venaient de loin,
- c'était chouette/très chouette.

Activité A3

P. 39

2. À notre avis, la version A, par le relief qu'elle donne à LA RENCONTRE (« Je t'ai croisée », « Nous avons échangé un regard furtif »), reproduit bien la relation premier plan - arrière-plan, telle qu'elle apparaît dans les activités A1 et A2. « Tu descendais la rue des Carmes », « Tu étais accompagnée », « Tu portais une cape noire et des bottes marron », tout en étant des éléments de reconnaissance, composent l'image en fond de cette rencontre, donc l'arrière-plan.

3. Nous pensons que la version I est celle qui correspond le mieux aux valeurs respectives du passé composé et de l'imparfait ; nous retrouvons ici les notions de premier plan et d'arrière-plan dégagées au début de cette unité. Cependant, le point de vue du lecteur, surtout face à un texte qualifié de poème, peut placer ou faire glisser au premier plan ce qui, dans l'ordre du récit, constitue l'arrière-plan.

Activité A4

P. 40

Brune aux yeux bleus, tu lisais *Libé* dans le train de Lille arrivé à Paris à 11 h 31, le mardi 4.11. Tu étais vêtue d'un pull-over mauve et d'un pantalon noir (il me semble), d'une veste de peau marron. TU AS DAIGNÉ ME FIXER QUELQUES INSTANTS, à l'arrivée du train, l'air sûr de toi, et avant que je n'aie pu t'aborder, TU AS DISPARU. Si tu aimes la discussion (rapport de force) voudrais-tu prendre contact avec moi par courrier ?

Ainsi, analogiquement, nous pouvons mettre en parallèle passé composé I et premier plan, imparfait et arrière-plan. Cette analogie semble bien rendre compte, dans ces textes et dans les récits oraux de week-end, du jeu contrasté de ces deux temps.

Activité A5

P. 41

Le contraste observé en langue écrite (ici, au début d'un roman policier) entre le passé simple et l'imparfait est le même que celui constaté précédemment entre le passé composé II et l'imparfait.

Activité A6

P. 41

Effectivement, alors qu'avec l'imparfait le récit semble s'immobiliser, comme s'approfondir, creuser le temps, avec le passé simple il y a mouvement, déroulement; c'est par premiers plans successifs que le récit avance, alors que par les arrière-plans il gagne en épaisseur.

Activité A7

P. 42

C'était midi (arrière-plan I). Les voyageurs montèrent dans l'autobus (premier plan I). Un jeune monsieur portait sur sa tête un chapeau qui était entouré d'une tresse et non d'un ruban. Il avait un long cou (arrière-plan II). Il se plaignit (premier plan II) auprès de son voisin des heurts que ce dernier lui infligeait

(arrière-plan III). Dès qu'il aperçut une place libre, il se précipita vers elle et s'y assit (premier plan III).
Je l'aperçus plus tard, devant la gare Saint-Lazare (premier plan IV).

Activité A8

P. 43

Soit on peut considérer ce texte comme clos, fermé par : « C'était un moment d'une douceur inexprimable », soit comme un arrière-plan qui va précéder un événement ou une série d'événements qui seront autant de premiers plans.

PARTIE B

Activité B1

P. 44

La narratrice utilise comme temps principal l'imparfait. Effectivement, elle aurait pu dire : « Je ne savais pas » à la place de « Je ne sais pas ». Parfois dans un récit de ce type, il y a glissement de l'imparfait au présent.

Activité B4

P. 46

Rêve à l'imparfait (employée de maison) → présent.
Ben, je suis à l'école, le maître m'a interrogée sur une récitation et je la sais pas. Alors, je suis debout devant toutes les élèves, très... émue. Alors, faut que le maître d'école m'aide à réciter cette récitation parce que je l'ai pas apprise. Alors je suis bien embêtée.

Rêve au présent (retraitée parisienne) → imparfait.
J'étais dans le métro et soudain des hommes me barraient le chemin. J'avais dans mon sac une grosse somme d'argent, alors, je cherchais à m'échapper. Je courais très vite. Je prenais des couloirs obscurs. J'entendais leur galopade derrière moi... Je sentais bien qu'ils ne me rattraperaient pas, quand bien même je ne savais pas où je me dirigeais.

Rêve au présent (agriculteur) → imparfait.
Je marchais dans les Flandres avec une troupe et nous venions de

nous rendre. Il y avait des gens qui ne pouvaient plus marcher, mais on ne savait pas ce qu'ils devenaient.

Rêve à l'imparfait (femme de cadre) → présent.
Je suis toute décoiffée et je ne sais plus où me mettre, nous sommes à la rue et je pense aux amies qui vont comprendre que nous sommes des vagabonds.

Rêve à l'imparfait (étudiant) → présent.
Nous avons décidé de nous marier dès que Maryse aura fini ses études. Elle n'arrive pas à les finir, elle passe sans cesse des examens.

Impossible de donner un corrigé puisque tout dépend de votre vécu ; cependant, s'il y a quinze jours vous vous trouviez au même moment dans une situation identique, vous pouvez alors écrire :
« Il y a quinze jours, au même moment, je finissais l'activité x de l'unité y et j'allais passer à l'activité z de la même unité. »

Activité B6

P. 50

Récit de type littéraire : Elle était dans le métro et soudain des hommes lui barrèrent le chemin. Elle avait dans son sac une grosse somme d'argent, aussi chercha-t-elle à s'échapper. Elle courut très vite. Elle prit des couloirs obscurs. Elle entendait leur galopade derrière elle. Elle sentait bien qu'ils ne la rattraperaient pas, même si elle ne savait pas où elle se dirigeait.

Rêve de l'épicière : « J'étais en train de ranger mes boîtes de conserve dans l'arrière-boutique. Soudain, j'ai entendu un grand bruit et je me suis aperçue que c'était un gros camion semi-remorque qui venait de pénétrer dans mon magasin, écrasant tout sur son passage. Le chauffeur m'a dit avec un beau sourire qu'il faisait des livraisons rapides. Il a reculé et je me suis retrouvée au milieu de ce désastre. »

SUR TOKYO

Sur Tokyo, il neigeait. Gare d'Ikebukuro, Keiko Hasegawa se dirigea vers un distributeur automatique de tickets. Au passage, elle jeta en souriant un regard sur une dizaine de salary-men qui gesticulaient au téléphone, juste à l'entrée du métro. Ils téléphonaient sans doute à leur femme pour leur dire qu'ils rentreraient tard et avançaient toutes sortes de prétextes. « Il faudrait que je les prenne en photo, pour montrer à mes collègues sceptiques que, nous Japonais, nous ne sommes pas si uniques ! » C'est là qu'elle conduirait Pierre, lors de son prochain séjour à Tokyo. La veille elle avait lu son dernier article, dans une revue d'anthropologie. Elle aimait la neige, surtout cette neige, lourde, ralentie. Elle se souvint d'un haïku qu'elle avait traduit pour Pierre :

Longue lente chute de neige
le temps à pas de voleur
dans la cour du temple.

Celle-ci semblait tomber pour s'appuyer sur votre épaule. Keiko se rappela le temps où, au parc d'Ueno, elle se blottissait contre Nozomi en contemplant la lune.

PARTIE C

Activité C1

P. 53

2. Madame B est étrangère puisqu'elle dit : « J'ai entendu rien. » au lieu de « J'ai rien entendu. » ou « Je n'ai rien entendu. »
Monsieur D est également étranger puisqu'il a dit : « Je dormais toute la nuit. » au lieu de : « J'ai dormi toute la nuit. » (voir unité 5, partie B, activité A, page 29).
Monsieur E l'est aussi, une personne de langue française aurait dit « Je dormais depuis deux heures quand c'est arrivé. »

3. Tout ce qu'on peut dire c'est qu'il pleuvait au moment où Monsieur C a couru à la fenêtre. Vous devez répondre : je ne sais pas.

Activité C2

P. 54

1.
Il n'est pas impossible que A trouve Marcel, 20 rue des Granges. L'emploi de l'imparfait fait qu'on ne peut se prononcer ni dans un sens ni dans un autre : il est vrai que l'année dernière Marcel habitait 20 rue des Granges. Depuis, il a pu déménager ou continuer à y habiter.

2.
Non ; Marcel a quitté la rue des Granges. L'emploi du passé composé II lève toute ambiguïté : il s'agit d'un fait acquis.

3.
C'est du domaine du possible.

4.
Non, Maurice est parti : c'est ce qui est impliqué par l'emploi du passé composé II.

Activité C3

P. 55

1 - Non.

2 - Oui (Enfin, ça dépend de vous et des circonstances !)

3 - Difficile de répondre sans contexte et sans repère temporel. Ce qu'on peut dire c'est que l'emploi de l'imparfait ne nous permet pas de dire que la lettre est maintenant terminée.

4 - La phrase a un sens : à un moment du match, les Niçois menaient par 4 à 2, et cela dix minutes avant la fin, puis, soudain, les Stéphanois se sont déchaînés et ont marqué deux buts à leur tour.

5 - Hélas la phrase n'a aucun sens !

Unité 7

PARTIE A

Activité A1

P. 56

Ordre chronologique :

Dialogue 1.
- Tu faisais une tête ce matin ! (Rang 3.)
- J'avais pas fermé l'œil de la nuit ! (Rang 2.)
- On a répété jusqu'à dix heures. (Rang 1.)

Dialogue 2.
- Il était pas brillant hier soir ! (Rang 3.)
- Il avait bu. (Rang 2.)
- Sa femme l'a plaqué il y a une semaine. (Rang 1.)

Dialogue 3.
- Tu devineras jamais qui j'ai rencontré la semaine dernière ! (Rang : 3.)
- Je l'avais pas vu depuis deux ans ! (Rang 2.)
- Ils se sont quittés il y a quatre ans. (Rang 1.)

En fait, les phrases B que nous avons mises en rang 2 entraînent le commentaire suivant : le plus-que-parfait joue le rôle d'un passé accompli dans le même sens que le passé composé I (voir unité 1) joue celui d'un présent accompli par rapport au moment de la parole. La référence n'est plus, dans le cas du plus-que-parfait, le moment où la personne parle, mais un moment du passé. À un moment X du passé, dans le dialogue I par exemple, l'interlocuteur était dans l'état de quelqu'un qui n'avait pas fermé l'œil de la nuit, d'où l'observation du locuteur : « Tu faisais une tête ce matin ! » La notion de trace revient comme dans le passé composé I.

Activité B1

P. 59

1.
(*A* -) implique que celui qui a construit la maison en jouit maintenant ou que cette maison est toujours là.

(*B* -) implique que celui qui a construit la maison a pu la vendre, s'en séparer, ou bien qu'elle a peut-être été détruite par un bombardement ou un tremblement de terre.

2.

(*A* -) implique que la personne qui parle n'a pas revu l'homme en question, depuis son serment.

(*B* -) implique que la personne qui parle a pu revoir l'homme en question malgré son serment, ou que cet homme a pu disparaître.

3.

(*A* -) implique que la personne qui parle a pu changer d'opinion ou que l'homme dont elle parle est décédé.

(*B* -) implique que la personne qui parle n'a pas changé d'opinion.

4.

(*A* -) implique qu'à la connaissance de la personne qui parle Jean n'est pas jusqu'à maintenant allé voir X.

(*B* -) implique que Jean a pu aller voir X ou que X est peut-être décédé.

Activité B2

P. 61

On constate une erreur de temps. L'utilisation du plus-que-parfait pourrait laisser entendre sans contexte soit que : Alfred Dugourd a divorcé, soit que sa première épouse est maintenant décédée, soit enfin que lui-même est maintenant mort. Un imparfait serait plus approprié. Pourquoi un imparfait ? Nous avons vu (unité 6, partie C) que ce temps est un temps ouvert : je peux dire, à propos par exemple de la naissance de Victor Hugo, Victor Hugo est né à Besançon en 1802, Victor Hugo naquit à Besançon en 1802, ou, enfin, en 1802 Victor Hugo naissait à Besançon. Dans ce dernier cas, font remarquer les grammairiens classiques, l'imparfait est justifié par le fait que cette naissance aura une grande répercussion et beaucoup de prolongements. On tire de la valeur en langue de l'imparfait (temps ouvert) un effet stylistique. Revenons-en au texte présenté : l'emploi de l'imparfait convient bien puisque Monsieur et Madame Dugourd en sont maintenant à leurs noces de diamant et ont une nombreuse progéniture. L'auteur du texte a pu choisir le plus-que-parfait en analogie avec la valeur de l'imparfait (présence de la forme «avait») et en pensant inconsciemment que l'utilisation de la forme composée reculait l'événement dans le temps.

Activité B3

P. 62

L'annonce 2 aurait dû être rédigée ainsi: «On avait fixé» rendez-vous métro Alésia, côté Zeyer. Je suis arrivée trop tard mais j'ai envie de te revoir. Téléphone-moi, le numéro est juste - puisque le rendez-vous fixé n'a plus de raison d'être. «On a fixé» implique qu'il est toujours valable.

Unité 8

PARTIE A

Activité A2

P. 65

- En France, le 17 janvier 1986, alors que les sondages donnaient la droite gagnante, le Premier ministre (socialiste) M. FABIUS déclarait à Antenne 2 Midi (chaîne de télévision):
«Si demain la droite gagnait, ce serait la pagaïe...»

L'emploi de l'imparfait et du conditionnel s'explique sans doute ainsi dans la bouche du Premier ministre: tout en envisageant la conséquence (pour lui) d'une victoire de la droite, il écarte en partie l'éventualité de cette victoire: la valeur négative de l'hypothèse est forte: il ne veut pas laisser entendre aux téléspectateurs qu'il croit à la victoire de la droite.

Echanges 1 - 2 - 3 - 4.
- Et s'il tombait des cordes, qu'est-ce qu'on ferait?
La valeur positive de l'hypothèse est à prendre en considération: ça peut arriver.

Remarque: dans la campagne pour les élections législatives (France) - hiver/printemps 86-87 - sur certaines affiches du parti communiste français, on pouvait lire: «Et si les communistes avaient raison?». Pour qui lisait la suite, il était clair que la valeur positive de l'hypothèse pouvait être retenue: «Oui, une autre politique est possible.»

PARTIE B

P. 67

Vous avez sans doute proposé : Je serais bilingue, je n'aurais pas besoin de ce livre.

PARTIE E

P. 69

Voir unité 9, PARTIE D.

Unité 9

PARTIE B

Activité B2

P. 73

Première interview : Vrai. Si ses parents avaient vécu plus longtemps et si, de plus, ils avaient été riches, cette épicière aurait sans doute étudié la musique, pour laquelle elle avait une passion.

Deuxième interview : Si cette cultivatrice en avait eu la possibilité, elle aurait aimé faire des études. « Tais-toi » est bien l'expression du regret.

PARTIE C

Activité C2

P. 76

Dialogue Jacques-Rémi : Jacques n'a jamais cru que Rémi réussirait à sortir avec Juliette ; or Rémi a séduit Juliette, d'où le regret de Jacques de n'avoir pas tenté sa chance.

PARTIE D

P. 77

Lisez ce titre du journal *Libération* :

Des chercheurs d'or auraient massacré 60 Tukanos en Amazonie.

BRÉSIL : ON ACHÈVE BIEN LES INDIENS

Selon le témoignage d'un missionnaire, confirmé par deux députés brésiliens, un groupe puissamment armé de chercheurs d'or aurait investi la semaine dernière le territoire d'une tribu amazonienne et assassiné une soixantaine de ses membres. 4 000 Indiens seraient maintenant massés à proximité, prêts à affronter les « garimpeiros ». Les autorités brésiliennes ont décidé d'envoyer sur place une commission d'enquête.

Libération du lundi 13 janvier 1986 (première page).

Vous faites maintenant bien la différence entre « auraient massacré », « aurait investi », « (aurait) assassiné » et « seraient maintenant massés. » Enfin, ce qui est absolument sûr, c'est que « les autorités brésiliennes ont décidé d'envoyer sur place une commission d'enquête ».

Vous vous rappelez enfin l'usage de la forme en - rais - comme temps indiquant la postériorité dans le système qui a pour centre l'imparfait : « Je sentais bien qu'ils ne me rattraperaient pas. » (voir page 51 et les pages antérieures).

Légendes des photos

P. 36
« Couple : Place de la Bastille, 1957 ».
Willy Ronis-Rapho.

P. 50
« Les amoureux au-dessus de la ville ».
de Marc Chagall - Galerie Tretiakov, Moscou.
Giraudon - © by ADAGP, 1987.

P. 61
« Les Jubilaires de l'Été : Mr et Mme Dugourd ».
Noces de diamant à Besançon.
Michel Brignot - L'Est républicain.

Maquette : François Weil

Photocomposition : L'Union Linotypiste

Imprimerie Hérissey - 27000 Évreux
Dépôt légal : Février 1987
N° de Série Éditeur 13917
Imprimé en France - *Printed in France*
800308 - Février 1987.